職業 しょくぎょう

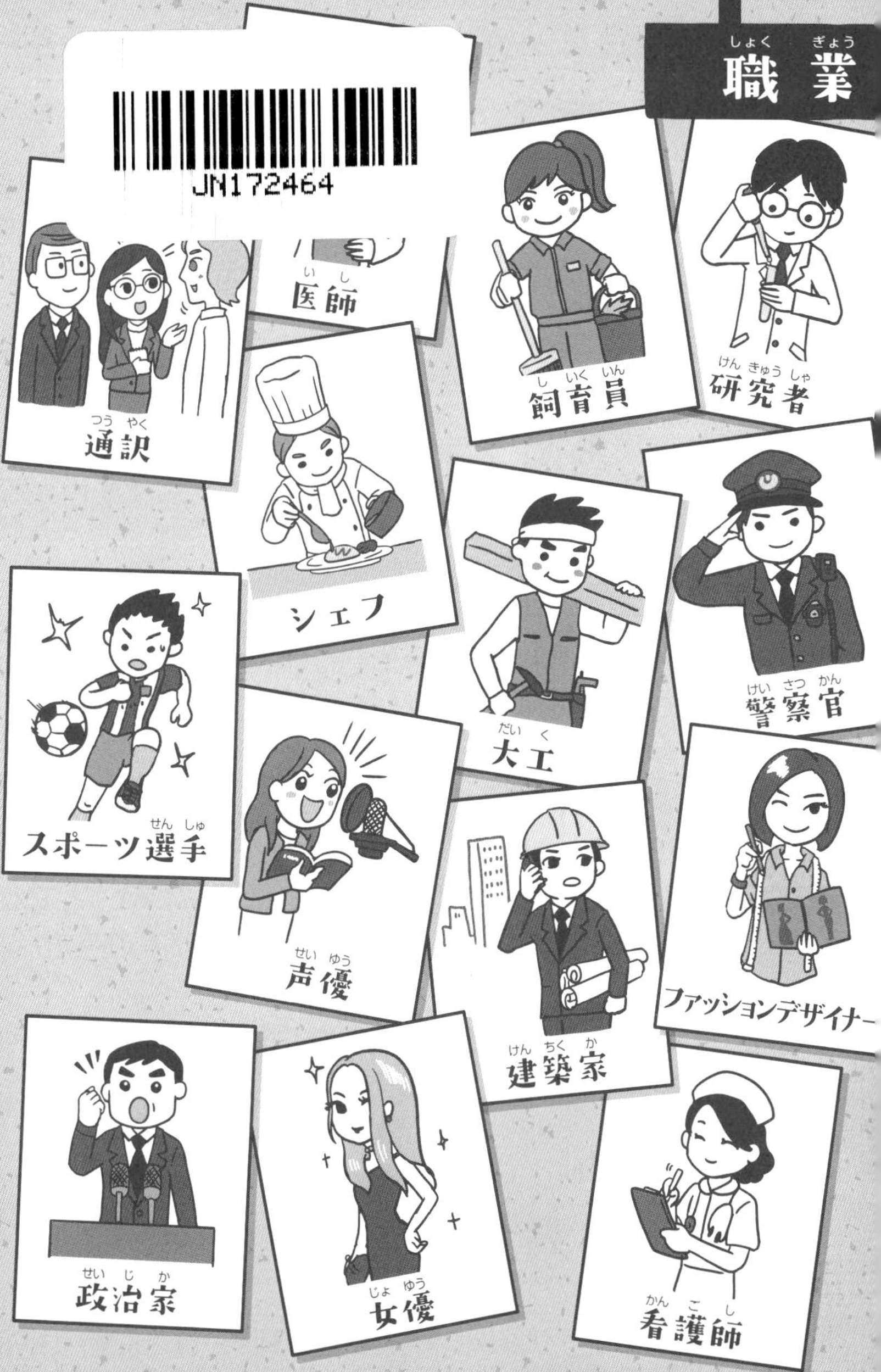

通訳 つうやく

医師 いし

飼育員 しいくいん

研究者 けんきゅうしゃ

シェフ

大工 だいく

警察官 けいさつかん

スポーツ選手 せんしゅ

声優 せいゆう

建築家 けんちくか

ファッションデザイナー

政治家 せいじか

女優 じょゆう

看護師 かんごし

怪談 オウマガドキ学園《がくえん》

妖怪《ようかい》たちの職場《しょくば》見学《けんがく》

「手《て》をあげてわたろう」

怪談オウマガドキ学園編集委員会
責任編集・常光徹　絵・村田桃香 かとうくみこ 山崎克己

どこかにあるけどどこだかわからない
この世《よ》とあの世《よ》のさかいめあたり
昼《ひる》と夜《よる》とがまじりあう
オウマガドキは
ふしぎの時間《じかん》
鬼火製造所
火気厳禁
高圧ガ
かぶれてない……

とびらがひらけば
そこが入《い》り口《ぐち》
クラスメートは
オバケと幽霊《ゆうれい》と妖怪《ようかい》と……
さあ、もうすぐ授業《じゅぎょう》がはじまるよ

オウマガドキ学園

「妖怪《ようかい》たちの職場見学《しょくばけんがく》」の時間割《じかんわり》

4時間目《じかんめ》

給食《きゅうしょく》

5時間目《じかんめ》

6時間目《じかんめ》

解説《かいせつ》

キャラクター紹介《しょうかい》

生徒《せいと》

幽麗華《ゆうれいか》

転校生《てんこうせい》。クールな性格《せいかく》。

河童《かっぱ》の一平《いっぺい》

クラスではリーダー的存在《てきそんざい》。
学級委員《がっきゅういいん》。

ろくろくびのび太《た》

首《くび》をのばして話《はなし》に
入《はい》ってくる。

ぬらりひょんぬらりん

頭《あたま》はいいが、つかみどころが
なく不気味《ぶきみ》。

人面犬助《じんめんけんすけ》

足《あし》がはやい。
時速《じそく》100キロ以上《いじょう》で走《はし》る。

トイレの花子《はなこ》

トイレにすみついている。
親切《しんせつ》だが気《き》が強《つよ》く、うるさい。

キツネのコン吉《きち》

しっかりしているが、
ずるがしこい。

タヌキのポン太《た》

食《く》いしんぼうで
おっちょこちょい。

魔女《まじょ》のまじょ子《こ》

マジョリー先生《せんせい》の娘《むすめ》。
おしゃれ好《ず》き。

アマビコ

猿《さる》の顔《かお》に三本足《ぼんあし》の姿《すがた》で
海中《かいちゅう》にすむ。
予言《よげん》がとくい。

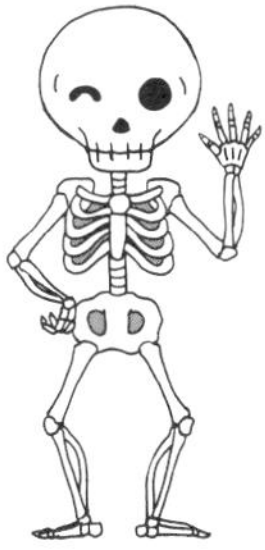

ガイコツのホネオ

しずかな性格《せいかく》でおひとよし。
楽器《がっき》の演奏《えんそう》がとくい。

猫又《ねこまた》タマ子先生《こせんせい》

ダンスの先生《せんせい》。授業《じゅぎょう》のほか、学園祭《がくえんさい》、
運動会《うんどうかい》のダンス指導《しどう》を担当《たんとう》。
いつでもどこでもネコなで声《ごえ》で歌《うた》を
口《くち》ずさみながらおどっている。

神社姫《じんじゃひめ》

流行病《はやりやまい》や農作物《のうさくぶつ》の豊凶《ほうきょう》などを予言《よげん》する。

はじまりのHR《ホーム ルーム》
楽《たの》しそうだニャ……
わ!!
いつのまに!?
ドアの前《まえ》で見《み》はっていた↓
ガヤ
ガヤ
ワイ
ガヤ
授業前は着席しておこう!

わずかなドアのすきまから、音《おと》もなく入《はい》ってきたのは猫又《ねこまた》タマ子《こ》先生《せんせい》。

「さすが、タマ子《こ》先生《せんせい》！」

キツネのコン吉《きち》が、おどろきの声《こえ》をあげた。

「このぐらい、どうってことないわ」

ちょっととくいそうな顔《かお》で、教室《きょうしつ》の前《まえ》に立《た》った。

「さて、今日《きょう》の学習《がくしゅう》は職業《しょくぎょう》がテーマです。みなさんも大人《おとな》になれば、いろいろな職業《しょくぎょう》につくでしょう。オウマガドキ学園《がくえん》も先生《せんせい》だけでなく、事《じ》務員《むいん》さん、警備員《けいびいん》さんなど、多《おお》くの方《かた》の仕事《しごと》でなりたっています」

タマ子《こ》先生《せんせい》は、職業《しょくぎょう》について働《はたら》くことの大切《たいせつ》さを話《はな》した。

「ところで、みなさんが将来《しょうらい》なりたい職業《しょくぎょう》は？」

めずらしく、神社姫《じんじゃひめ》が手《て》をあげた。

「占《うらな》い師《し》になりたいです。わたしは未来《みらい》のことを予言《よげん》するのがとくいなんです」

神社姫《じんじゃひめ》と仲《なか》がよいアマビコが、思《おも》いだしたようにいった。

「そういえば、今年《ことし》一月《がつ》にZ型《ゼットがた》インフルエンザがはやるって予言《よげん》、ぴったりあたったぜ」

「すげえ」

教室《きょうしつ》がざわめいた。河童《かっぱ》の一平《いっぺい》がふざけていった。

「ぼくの百年後《ねんご》を占《うらな》って」

「占《うらな》い料《りょう》、高《たか》いわよ」

「えっ、お金《かね》とるの。じゃぁ、やめた」

「では、ポン太《た》くんの将来《しょうらい》の夢《ゆめ》は」

先生《せんせい》が指《ゆび》さした。

「ぼくは政治家《せいじか》です」

「まあ、それでなにをやりたいの」

「学校《がっこう》の勉強時間《べんきょうじかん》を思《おも》いきりへらして、妖怪《ようかい》の子《こ》どもたちがのびのび遊《あそ》べる社会《しゃかい》を作《つく》りたいと思《おも》います」

「へぇー、ポン太《た》にしてはいいことというぜ」

人面犬助《じんめんけんすけ》が、感心《かんしん》したようにうなずいた。うしろのほうで、トイレの花子《はなこ》がちくりといった。

「ポン太《た》は勉強《べんきょう》ぎらいだからね。だいいち、勉強《べんきょう》しない政治家《せいじか》なんて信《しん》用《よう》できない」

タマ子先生《こせんせい》は、にこにこしながら聞《き》いていたが、

「仕事《しごと》の夢《ゆめ》を話《はな》しあうのは楽《たの》しいわね。そうそう、今日《きょう》の休《やす》み時間《じかん》は、妖怪社会《ようかいしゃかい》のいろいろな仕事《しごと》について紹介《しょうかい》があります。しっかり学《まな》んでください」

そういって、時計《とけい》に目《め》をやった。

「では、このつづきは、帰《かえ》りのHR《ホームルーム》で発表《はっぴょう》してもらいましょう」

出席簿《しゅっせきぼ》をとじると、ドアのすきまからすっと出《で》ていった。

1時間目《じかんめ》

夕方《ゆうがた》の待合室《まちあいしつ》

岡野久美子《おかのくみこ》

わたしは看護師《かんごし》として、町《まち》の診療所《しんりょうじょ》で働《はたら》いています。

ある日《ひ》、お母《かあ》さんにつれられて、幼稚園児《ようちえんじ》ぐらいの男《おとこ》の子《こ》がやってきました。お母《かあ》さんが保険証《ほけんしょう》を受付《うけつけ》に出《だ》します。

「清水勇太《しみずゆうた》です。ころんで、足首《あしくび》をひねったようで」

「はい。では、こちらに」

さいわい勇太《ゆうた》くんは、かるいねんざとすりきずでした。

勇太《ゆうた》くんはそれからお母《かあ》さんにつれられて、たびたび診療所《しんりょうじょ》にくるようになりました。

「勇太《ゆうた》がまたけがをして……。よろしくおねがいします」

「はい。今度《こんど》はなにをしたのかな？」

「ジャングルジムからとびおりたんです。ほんとに、やんちゃでこまっちゃうわ」

「ふふっ、そうなんだ。さっ、こちらへどうぞ」

わたしとお母《かあ》さんの清水《しみず》さんは、短《みじか》い会話《かいわ》をかわすようになり、だんだんと親《した》しくなっていきました。

そんなある日《ひ》の夕方《ゆうがた》、待合室《まちあいしつ》のかたすみにすわっている清水《しみず》さんが目《め》

にとまりました。うつむいて、肩《かた》のあたりを
おさえています。
（あらっ、清水《しみず》さん、どうしたのかしら？
いつもは勇太《ゆうた》くんをつれてくるのに、今日《きょう》は
ご自分《じぶん》がぐあいが悪《わる》いのね）
ところが、そのときは受《う》け付《つ》けが終了《しゅうりょう》する
六時《じ》まぢか。いつもかけこみの患者《かんじゃ》さんでこ
む時刻《じこく》のうえ、月末《げつまつ》で、さらにこみあってい
ました。いそがしくて、清水《しみず》さんに話《はな》しかけ
るひまもありません。

（えっ？　いない……）

気《き》がつくと、清水《しみず》さんの姿《すがた》がありません。

（おかしいなあ。先生《せんせい》にみてもらわないうちに、帰《かえ》っちゃったのかしら……。そういえば、清水《しみず》さんの受《う》け付《つ》けもしていないわ）

なんとなくへんだなと思《おも》いつつ、いそがしさにまぎれて、そのままになってしまいました。

それからしばらくして、わたしは清水《しみず》さんを町《まち》で見《み》かけ、声《こえ》をかけました。

「清水《しみず》さん、こんにちは」

「あっ、看護師《かんごし》さん。こんにちは」

清水《しみず》さんはおじぎをしようとして、顔《かお》をしかめました。

「あいたた……」

「あら、どうしたの？」

「じつは、肩《かた》を骨折《こっせつ》してるんです。ちょっと前《まえ》に交通事故《こうつうじこ》にあっちゃって、まだ金具《かなぐ》が入《はい》ってるんですよ」

「えっ、だいじょうぶなの？」

「ええ、もうちょっとしたら金具《かなぐ》がとれて、だいぶらくになるそうです。そういえば、わたし、車《くるま》にひかれて、痛《いた》さのあまり気絶《きぜつ》してしまったんですよ。意識《いしき》がうすれていくときに、わたし……」

清水《しみず》さんはふっと笑《わら》いました。

「どうしても診療所《しんりょうじょ》に行《い》かなくちゃって強《つよ》く思《おも》ったんですよ。勇太《ゆうた》がいつもお世話《せわ》になってる看護師《かんごし》さんと先生《せんせい》にみてもらいたいって。でも気《き》がついたら、総合病院《そうごうびょういん》のベッドの上《うえ》だったんです」

「まあ、そんなに思《おも》っていただいて、うれしいけど、うちの診療所《しんりょうじょ》では、応急処置《おうきゅうしょち》ぐらいしかできないから……」

わたしはハッとしました。

「ねえ、清水《しみず》さん。交通事故《こうつうじこ》にあったのは、いつ、何時《なんじ》ごろだったの？」

「えーっと……。ちょうど一か月前《げつまえ》だから、先月《せんげつ》の三十一日《にち》ですね。夕飯《ゆうはん》の料理中《りょうりちゅう》にたりなくなった調味料《ちょうみりょう》を買《か》いにいくときだったから……、六時《じ》ちょっと前《まえ》かしら」

そういいながら、清水《しみず》さんは腕時計《うでどけい》をちらりと見《み》ました。

「あっ、勇太《ゆうた》のおむかえがあるんで失礼《しつれい》します。わたしが入院《にゅういん》しているあいだ、おばあちゃんに見《み》てもらってたんで、すっかりあまえんぼうになっちゃって」

清水《しみず》さんのうしろ姿《すがた》を見《み》おくりながら、わたしは背筋《せすじ》がすうっと寒《さむ》くなるのを感《かん》じていました。

(先月《せんげつ》の三十一日《にち》の六時前《じまえ》って、待合室《まちあいしつ》で清水《しみず》さんを見《み》たのとおなじ日《ひ》のおなじ時刻《じこく》……。あのとき、清水《しみず》さんは魂《たましい》が体《からだ》からぬけだして、診《しん》療所《りょうじょ》にきていたんだわ)

祈《いの》りのロザリオ

千世《ちせ》繭子《まゆこ》

ゆきおばさんは、クリスチャンでもないのに、いつも首《くび》に古《ふる》いロザリオをかけている。気《き》になって、聞《き》くとこんな話《はなし》をしてくれた。

わたしが、まだ十代《だい》で看護師《かんごし》になったばかりのころのこと。

「今日《きょう》も夜勤《やきん》だわ。いやだなあ」

病院《びょういん》につとめたばかりで、なれない夜勤《やきん》がいつも、ゆううつだった。

「山田《やまだ》さん見《み》まわり、おねがいしますよ」

みんながねしずまった病院《びょういん》の暗《くら》さは、なんともいえないものがあった。とくに古《ふる》い病棟《びょうとう》の見《み》まわりの担当《たんとう》になるのはいやだった。

古《ふる》い病棟《びょうとう》を見《み》まわっていたある夜《よる》……。コツコツとひびく自分《じぶん》の足音《あしおと》も気味悪《きみわる》くて、走《はし》りだしたくなったそのとき。

「あれはなんだろう？」

くらいろうかの先《さき》に、月《つき》の光《ひかり》でもさしたように、青白《あおじろ》く光《ひか》る場所《ばしょ》があった。

「あんなところに、窓《まど》なんかなかったわよね」

近《ちか》づいていくと、そこはかべだった。

「なあに、これは……」

銀色《ぎんいろ》とも思《おも》える光《ひかり》のすじが、かべからこぼれだしていた。ふしぎなことなのに、なぜだかこわいと思《おも》わなかった。

「あっ、きえたわ」

そこは、ろうかの角《かど》にあたっていた。角《かど》をまわっていくと、大《おお》きめの個室《こしつ》の裏側《うらがわ》。

「この部屋《へや》から、あの光《ひかり》が？」

部屋《へや》のあかりはきえていた。

ナースステーションにもどって、聞《き》いてみ

ると、その部屋《へや》には老婦人《ろうふじん》がひとり、長《なが》く入院《にゅういん》しているのだという。

わたしは、担当《たんとう》でもない病棟《びょうとう》のその婦人《ふじん》の部屋《へや》をたずねてみることにした。

「しつれいします」

ドアをひらいて、わたしは思《おも》わず「あっ」と声《こえ》をあげた。

あの光《ひか》るかべの内側《うちがわ》には、古《ふる》いロザリオがかざってあったからだ。

「えっ、どうかなさった？」

はじめてきた看護師《かんごし》が、とつぜんろうかで見《み》た光《ひかり》の話《はなし》をするものだから、婦人《ふじん》はニコニコ笑《わら》っていた。

「まあ、おもしろいお話《はなし》ね」

「ほんとうに見《み》たんですよ。わたし……」

それが、婦人《ふじん》との出会《であ》いだった。

「あなたが見《み》まわってくださった時間《じかん》、わたし、お祈《いの》りしているときだと思《おも》うのよ。ときどきねむれないときにお祈《いの》りするから」

「このロザリオに、お祈《いの》りするんですか？」

「そう、このかべの方向《ほうこう》にはね、遠《とお》くだけど、わたしが洗礼《せんれい》をうけた教会《きょうかい》があるの。窓《まど》だったらよかったんだけど。ここ病院《びょういん》だから」

婦人《ふじん》は、また笑《わら》った。

「お祈《いの》りが、光《ひかり》になって見《み》える、なんてことがあるのね。それはたぶん、あなたが『見《み》える人《ひと》』なのかしら」

婦人《ふじん》はやさしかった。

「見《み》える人《ひと》」という婦人《ふじん》の言葉《ことば》どおり、おなじ職場《しょくば》で働《はたら》く人《ひと》たちには見《み》えないものを、わたしは見《み》てしまうことがあった。

白《しろ》いクラゲのようにすけた人形《ひとがた》が、ふわふわろうかをわたっていたり、黒《くろ》いかげが地下室《ちかしつ》のすみにうずくまっていたり。

そんなときは、婦人《ふじん》の部屋《へや》にかけこんで、かべのロザリオに祈《いの》るようになっていた。

病院《びょういん》での仕事《しごと》にもなれてきた、ある晩《ばん》。

見《み》まわりをしていると、いつものようにあのかべにさしかかった。光《ひかり》がこぼれていた。

「あら、お祈《いの》りをしている」

でも、それはいつもとちがって見《み》えた。銀白色《ぎんはくしょく》をおびた雪《ゆき》のようにキラキラした光《ひかり》だった。いつもならとおりすぎるのに、みょうに気《き》になって、ドアをノックした。答《こた》えはなかった。

「あけますよ。あっ！」

部屋《へや》はひんやりくらく、ガラーンとして、だれもいなかった。

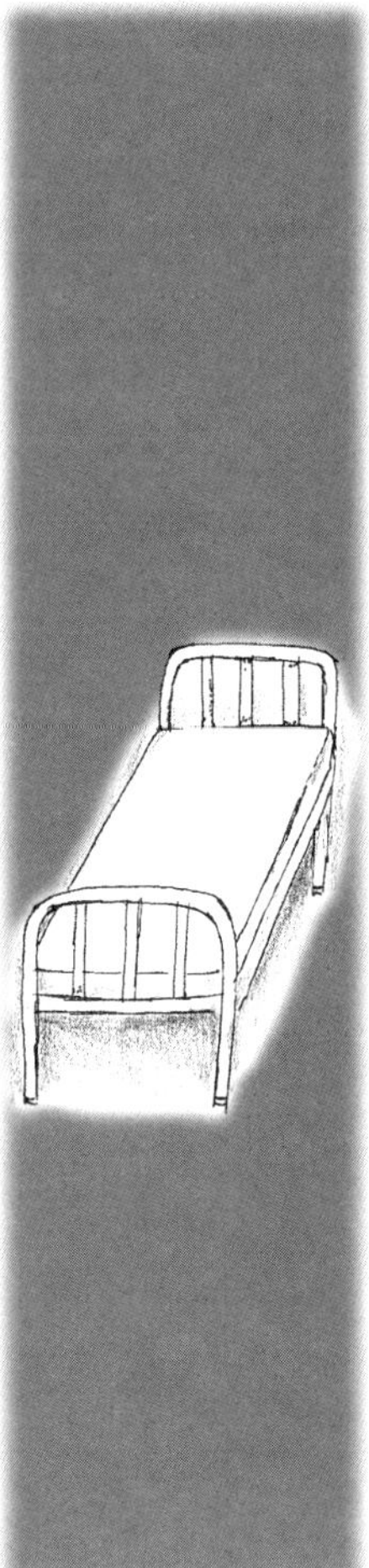

胸《むね》が、どきどきするのをおさえられなかった。

「ああ、角部屋《かどべや》の老婦人《ろうふじん》、きのうの明《あ》け方《がた》に亡《な》くなられたのよ」

夜勤《やきん》で遅出《おそで》だったわたしは、そのことをしらずにいた。

「じゃ、あの光《ひかり》は、なんだったのかしら」

朝《あさ》になって、もう一度《いちど》あの部屋《へや》に行《い》ってみた。

「あっ！」

と、わたしは声《こえ》をあげた。

かべには、あのロザリオがかけたままのこされていた。

ロザリオには、メモがむすんであったのよ。

「見《み》えてしまうゆきさんには、このロザリオが必要《ひつよう》ね。看護師《かんごし》さんつづけてね。最後《さいご》の時間《じかん》に、出会《であ》えてうれしかった。ありがとう」

それで、看護師《かんごし》をつづけられたのよ、とゆきおばさんはやさしく笑《わら》っていた。

休《やす》み時間《じかん》

妖《よう》怪《かい》たちの職《しょく》場《ば》見《けん》学《がく》

薬《やっ》局《きょく》

「なんでも薬《くすり》をそろえています。当店《とうてん》のオススメは、河童《かっぱ》のこう薬《やく》です」

「魔法《まほう》の薬《くすり》もありますか?」

「もちろん。動物《どうぶつ》に変身《へんしん》する薬《くすり》、姿《すがた》を見《み》えなくする薬《くすり》など、たいていのものはおいてますよ。売《う》るときにはお客《きゃく》さんにサインをもらうことになっているんですよ」

「勉強《べんきょう》ができるようになる薬《くすり》とか、三倍《ばい》食《た》べても太《ふと》らない薬《くすり》とかは?」

「そういうのも魔法《まほう》なので、買《か》うときはとくべつな書類《しょるい》が必要《ひつよう》ですね」

とりあつかいちゅうい！
魔法薬
べんぴ
さわるな
キケン
きずが
なおりやすい
ぬりぐすり
かゆみどめ
キケンな薬《くすり》って
なんだろう…

2時《じ》間《かん》目《め》

先生《せんせい》たちの体験談《たいけんだん》

思《おも》いだせない名前《なまえ》

北村規子《きたむらのりこ》

いまから三十年以上《ねんいじょう》も前《まえ》の、わたしがはじめて中学校《ちゅうがっこう》で担任《たんにん》をもったときの話《はなし》です。もうだいぶむかしのことです。いっしょうけんめい思《おも》いだそうとすればするほど、記憶《きおく》はあわあわと時《とき》のながれにとけだして、どこまでが現実《げんじつ》なのかわからなくなります。それでも、わすれられないことなのです。

そのころは、教《おし》えるのもはじめて、中学生《ちゅうがくせい》とせっするのもはじめて、思《おも》っていることがうまくつたわらなくて、四苦八苦《しくはっく》の毎日《まいにち》でした。それでも、毎日顔《まいにちかお》をあわせているうちに、おたがいのことを思《おも》いやるようになるものです。どうにか仕事《しごと》もクラスもおちついてきた二月《がつ》、月《つき》に二回《かい》の朝会《ちょうかい》でのできごとです。

全校朝会《ぜんこうちょうかい》は校庭《こうてい》でおこなわれます。二月《がつ》にしてはあたたかい朝《あさ》でした。陽《ひ》ざしが背中《せなか》にあたって、もうすぐ春《はる》なんだなとぼんやり感《かん》じていたことをおぼえています。ざわざわする中《なか》、クラスの生徒《せいと》があつまると、学級委員《がっきゅういいん》が人数《にんずう》をかぞえて担任《たんにん》に報告《ほうこく》します。おだやかでのんびりした、ほんとうにいつもの朝《あさ》の光景《こうけい》でした。

「あれ？」

学級委員《がっきゅういいん》の山路《やまじ》くんが首《くび》をひねってい
ます。

「どうしたの？」

「先生《せんせい》、男子《だんし》の人数《にんずう》があわないんです」

「欠席《けっせき》？」

「いいえ、みんないます」

「どういうこと？」

「うちのクラス、男子《だんし》十八名《めい》ですよね」

「うん。男女同数《だんじょどうすう》の十八名《めい》。あわせて
三十六名《めい》」

「十七名《めい》しかいないんです。でも、みんないるんです」

「おかしいね。じゃあ、ひとりひとり確認《かくにん》してみよう」

ひとりひとり顔《かお》を見《み》て確認《かくにん》しました。全員《ぜんいん》いました。しかし、男子《だんし》は合計《ごうけい》十七名《めい》しかいませんでした。出席簿《しゅっせきぼ》を見《み》ると十七名《めい》となっています。

十七名《めい》が正《ただ》しいと出席簿《しゅっせきぼ》がつげています。

学級委員《がっきゅういいん》もわたしも首《くび》をかしげました。

「二月《がつ》になるまで思《おも》いちがいしていたのかなあ」

「そんなことある？　男女同数《だんじょどうすう》だよ？」

わたしは出席簿《しゅっせきぼ》の人数《にんずう》をかぞえはじめました。

そのときです。ゴウッ。大《おお》きな風《かぜ》が校庭《こうてい》の砂《すな》をまきあげ、校庭《こうてい》から校《こう》舎《しゃ》まで、すべてをつつむようにおそってきました。あたりがうすぐらくなり、バラバラと砂《すな》がふってきます。

「うわっ。目《め》があけられない」

生徒《せいと》のさけび声《ごえ》が聞《き》こえます。

風《かぜ》がとおりすぎました。顔《かお》をあげると、なぜでしょう。すべてのものが二重写《にじゅううつ》しになっていて、それからひとつの形《かたち》におちついたのです。

「あっ。十七名《めい》ですよ。十七名《めい》だったんだ」

山路《やまじ》くんがさけぶと、心配《しんぱい》していたほかの子《こ》も、

「十七名《めい》だよ。そうだそうだ」

と声《こえ》をあげました。なんだかみんなふしぎな遠《とお》い目《め》をしています。

そんな気《き》もしてきました。十七名《めい》かもしれない。でも、一月《がつ》にあった学級対抗百人一首大会《がっきゅうたいこうひゃくにんいっしゅたいかい》に、わたしのクラスは、どの班《はん》も六人《にん》でチーム戦《せん》に出場《しゅつじょう》しました。欠席《けっせき》もなく、人数調整《にんずうちょうせい》がいらなくて、ほっとした記憶《きおく》があるのです。

「あっ。ほら、あの子《こ》がいないんだ」

よかった。思《おも》いだしました。そうそう、あの子《こ》。丸《まる》い頭《あたま》のあの子《こ》。ところが、名前《なまえ》が出《で》ないのです。思《おも》いださなきゃ。先生《せんせい》はわすれてないよ。だって毎朝名前《まいあさなまえ》よんで出席確認《しゅっせきかくにん》しているんだから。記憶《きおく》のすみの丸《まる》い頭《あたま》によびかけます。けれども、かれはすっとむこうをむくと、ぼんやりきえていきました。

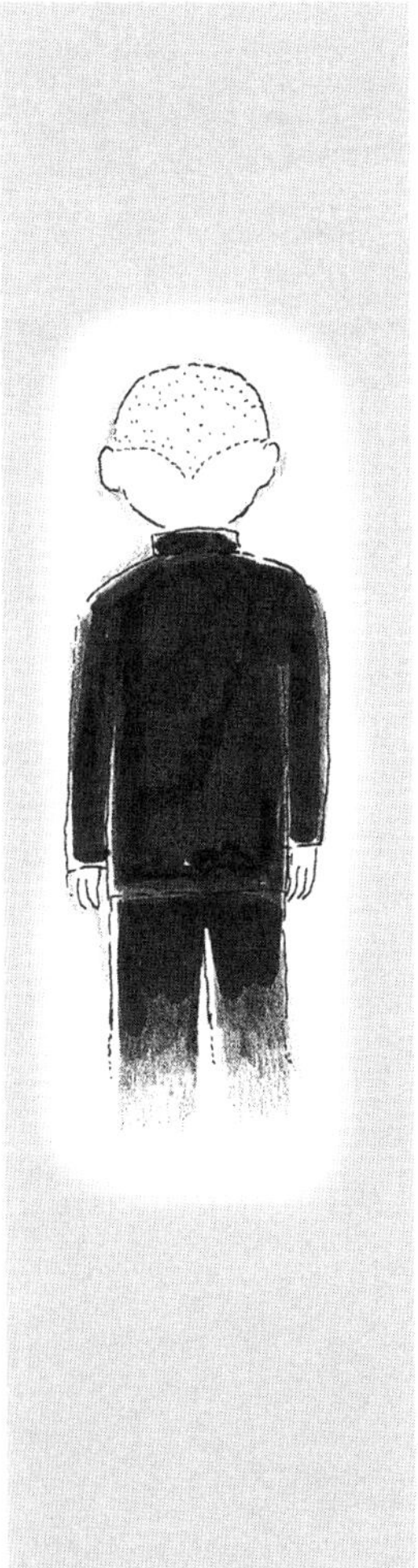

「名前《なまえ》なんだっけ……。ええと……」
「先生《せんせい》、十七名《めい》だったんですよ」
学級委員《がっきゅういいん》をはじめ、その場《ば》にいた全員《ぜんいん》が一件落着《いっけんらくちゃく》とばかり笑《わら》っています。あかるく笑《わら》うクラスの子《こ》が、そのときとてもこわく感《かん》じられました。
そして、なにごともなかったように朝会《ちょうかい》がはじまりました。

わたしのクラスはそれ以降《いこう》、男子《だんし》十七名《めい》、女子《じょし》十八名《めい》のクラスとなりました。だれも違和感《いわかん》をうったえませんでした。わたしもかれのことは口《くち》にしませんでした。

あの子《こ》はだれだったのでしょう。いたはずの子《こ》が記憶《きおく》も痕跡《こんせき》もけして、去《さ》っていったのです。いないことになっているのです。

毎朝《まいあさ》よんでいたはずの、あの子《こ》の名前《なまえ》がいまでも思《おも》いだせないのです。

ホンモノだった

三《み》倉《くら》智《さと》子《こ》

むかしむかし、中国《ちゅうごく》のあるところに学問所《がくもんじょ》があった。そのころの学問《がくもん》所《じょ》といえば、朝《あさ》から晩《ばん》まで勉強《べんきょう》にあけくれるきびしい生活《せいかつ》がつづいていた。そうはいっても、ただきびしいだけの先生《せんせい》は人気《にんき》がない、というのはいつの世《よ》もかわらない。

とりわけ、みんなのうらみをかっていたのは張先生《チャンせんせい》。たとえば学生《がくせい》たちが、たまには休《やす》みがほしいといっても、張先生《チャンせんせい》は首《くび》をたてにふらない。

ほかの先生《せんせい》が五日間《いつかかん》の休暇《きゅうか》をあたえようといっても、それを三日《みっか》にけずり、三日《みっか》あたえようといえば、それを二日《ふつか》にへらした。当然《とうぜん》ながら学生《がくせい》たちはおもしろくない。

そこでなんとか張先生《チャンせんせい》に仕返《しかえ》ししてやろう、ということになった。

「幽霊《ゆうれい》のまねしておどろかそうよ。腰《こし》をぬかした先生《せんせい》を見《み》るのはきっと楽《たの》しいぞ」

「幽霊《ゆうれい》ってだれがなる？」

「そりゃぁ、あいつだよ」

みんながいっせいにひとりの学生《がくせい》を見《み》た。かれの名《な》も張《チャン》。先生《せんせい》といっしょだ。張《チャン》って名《な》前《まえ》は多《おお》いからね、太《ふと》っていれば、ふとっちょの張《チャン》。背《せ》が高《たか》ければのっぽの張《チャン》、なんてよばれる。で、その生徒《せいと》は、なんと張鬼子《チャングイズ》とよばれていた。

鬼子《グイズ》っていうのは、幽霊《ゆうれい》とか鬼《おに》とか化《ば》け物《もの》とか、この世《よ》のものではない、おそろしいモノのことをいう。張鬼子《チャングイズ》は、陰気《いんき》な顔《かお》つきで下《した》をむいていて、そして頭《あたま》には黒《くろ》い頭巾《ずきん》をま

きつけていた。そんなへんてこななりをしていても、あのきびしい張先《チャンせん》生《せい》に目《め》こぼしされていたのは、とにかく物知《ものし》りだったからだ。問《と》われれば、むかしの戦《たたか》いの英雄《えいゆう》や、詩人《しじん》のことなどをまるで見《み》てきたかのように話《はな》した。

お化《ば》けの張《チャン》、なんてひどいあだ名《な》だけど、「張鬼子《チャングイズ》」ってよばれれば、

「うん」

と顔《かお》をむける。

「ねぇ張鬼子《チャングイズ》、幽霊《ゆうれい》になって張先生《チャンせんせい》をおどろかしてくれよ、いいだろう？」

「な、たのむよ」

と、みんながいった。

「ううん、でも、幽霊《ゆうれい》ってなんか子《こ》どもっぽいなぁ。あぁ、それより地《じ》獄《ごく》からよびだす召喚状《しょうかんじょう》作《つく》って先生《せんせい》にわたすのはどうかなぁ。きっとこわがると思《おも》うけど……」

張鬼子《チャングイズ》はボソボソといった。

みんなは顔《かお》を見《み》あわせ、うんうん、とうなずいた。

「そりゃいい。地獄《じごく》の使《つか》いか。おどろくぞ。でも召喚状《しょうかんじょう》なんて、いったいどうやって書《か》くんだ？」

すると張鬼子《チャングイズ》は顔《かお》を下《した》にむけたまま、いった。

「おれ、前《まえ》に見《み》たことある。しってるよ」

紙《かみ》をさがしだすと、みょうばんをつかって召喚状《しょうかんじょう》を書《か》いた。それをもって夜《よる》おそく張先生《チャンせんせい》の部屋《へや》に入《はい》った。学生《がくせい》たちはかたずをのんで戸《と》のうしろにかくれた。

「どうした。なにか用《よう》か」

先生《せんせい》のふきげんな声《こえ》が聞《き》こえる。

「先生《せんせい》、これをあずかってまいりました」

張鬼子《チャングイズ》が召喚状《しょうかんじょう》をわたしたらしい。と、どうじにドスンと大《おお》きな音《おと》がした。

みんなはあわてて戸《と》をあけた。先生《せんせい》はゆかにたおれていて、すでに息《いき》もしていない。張鬼子《チャングイズ》は、むこうをむいて肩《かた》をゆすっている。

「く、く、く……」

泣《な》いているらしい。さすがにみんなはおどろいていった。

「張鬼子《チャングイズ》、だいじょうぶか。お前《まえ》のせいじゃないからな。気《き》にするな、ちがうから……」

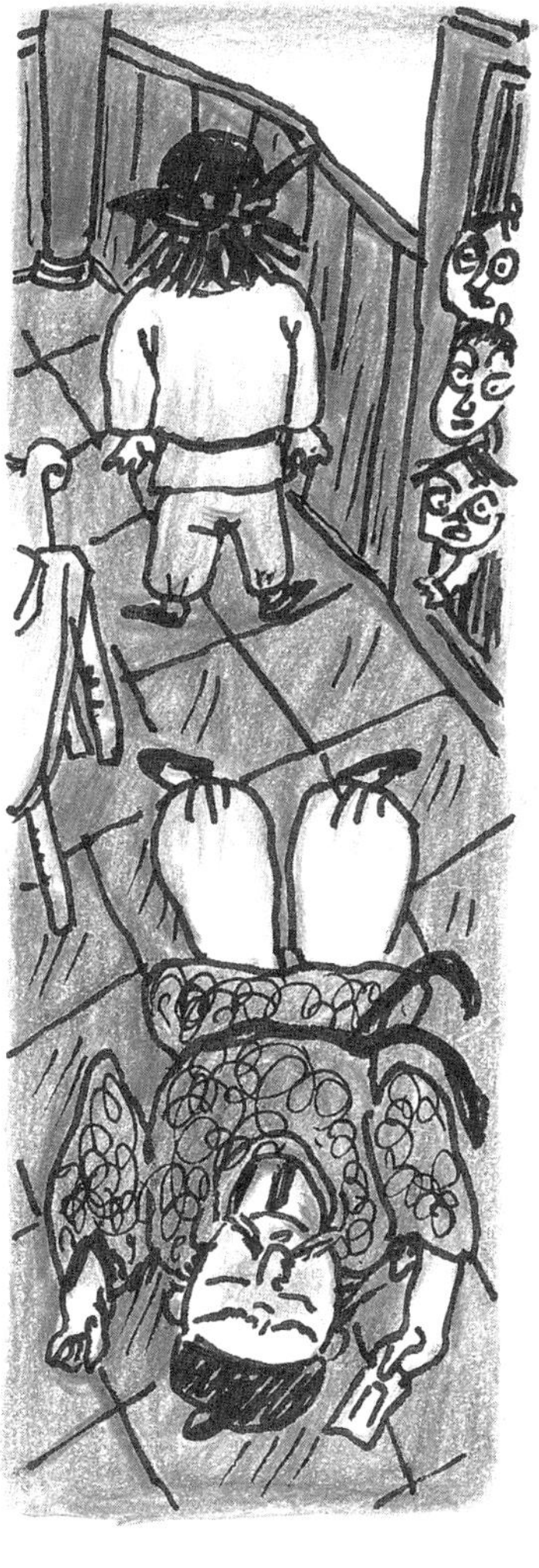

やがて、張鬼子《チャングイズ》はこちらをむいた。はじめて見《み》る顔《かお》だ。目《め》はらんらんと光《ひか》り、大口《おおぐち》あけて笑《わら》っている。

「ぐわぁはっはっは。諸君《しょくん》、きみたちのおかげでおれはようやく任務《にんむ》をはたせた。二十年前《ねんまえ》、張《チャン》に召喚状《しょうかんじょう》をもってきたものの、それを川《かわ》にながしてしまうというドジをふんだ。まったくなんてこった。えん魔大王様《まだいおうさま》に顔《かお》むけできない。帰《かえ》れないおれはここでチャンスを待《ま》った。えっ、おれ？　ああ大王様《だいおうさま》の使《つか》い、獄卒《ごくそつ》とはおれのことさ。

きみたちのくだらん、いや、すてきな計画《けいかく》がおれを救《すく》ってくれた。いつかきみたちも仕事《しごと》で思《おも》わぬ失敗《しっぱい》をすることもあるだろう。しかし、あきらめるな、機《き》を待《ま》て。この言葉《ことば》を礼《れい》として諸君《しょくん》におくるとしよう。では、いつかきみたちをむかえにくる日《ひ》まで、さらば」

そういうと張鬼子《チャングイズ》は大《おお》いばりで地獄《じごく》にもどっていった。うしろ姿《すがた》の張《チャン》は頭《あたま》の黒頭巾《くろずきん》をはずすと、それを大《おお》きくふった。布《ぬの》がはずれた頭《あたま》には二本《ほん》の角《つの》が見《み》えた。

だれかがつぶやいた。

「あいつ、ホンモノの鬼《おに》だったんだ……」

休《やす》み時間《じかん》

妖怪《ようかい》たちの職場見学《しょくばけんがく》

警察署《けいさつしょ》

「今日《きょう》は天狗第二部隊《てんぐだいにぶたい》が空《そら》の交通整理《こうつうせいり》に出《で》ているよ。
最近《さいきん》火《ひ》の玉《たま》の暴走《ぼうそう》があるから、事故《じこ》がおこらないようにね」
「最近《さいきん》どんな事件《じけん》がありました？」
「先週《せんしゅう》、人間界《にんげんかい》へまよいこんで行方不明《ゆくえふめい》になった妖怪《ようかい》がいてね、
手《て》わけして、さがしに出《で》たんだ。
無事《ぶじ》に見《み》つかるまで、ずいぶん時間《じかん》がかかったよ」

天狗第二部隊
課
妖
だめだろ!
しりょう
しりょう!
たいへんそうだけど
あこがれるなぁ~

3時《じ》間《かん》目《め》

仕立屋《したてや》の客《きゃく》

岩倉千春《いわくらちはる》

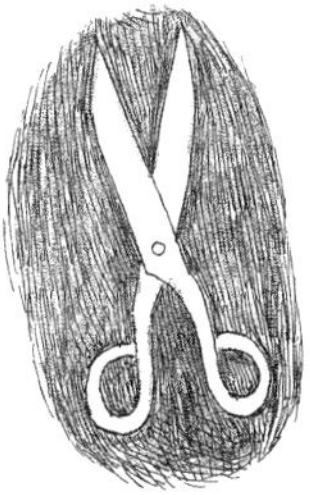

むかし、イギリスのある村《むら》にトムという腕《うで》のいい仕立屋《したてや》がいた。まじめで働《はたら》きものだったが、お酒《さけ》が大好《だいす》きなのが、たまにきずだった。陽気《ようき》に笑《わら》っておしゃべりをしながらのんでいるうちはまだいいが、そのうちだんだん気《き》が大《おお》きくなってくる。そうすると、ふだんはひかえめな人《ひと》なのに、じまん話《ばなし》がとまらなくなるのだ。

ある夜《よる》、トムはいつもの居酒屋《いざかや》でのんでいた。月《つき》がないくらい夜《よる》で、小《ちい》さなランプがひとつともる店《みせ》の中《なか》はうすぐらかった。お客《きゃく》は、トムのほかに、村《むら》の人《ひと》が三、四人《にん》と、すみのほうにすわっている黒《くろ》い帽子《ぼうし》をかぶった見《み》なれない男《おとこ》だけだった。

トムはジョッキを片手《かたて》に店《みせ》の真《ま》ん中《なか》に立《た》ってしゃべっていた。

「おれよりじょうずに上着《うわぎ》を作《つく》れる仕立屋《したてや》は、国中《くにじゅう》さがしたってだれもいない。おれが作《つく》れば、寸法《すんぽう》はぴったり、デザインもばっちり、おまけに生地《きじ》を節約《せつやく》して安上《やすあ》がりだ。王様《おうさま》だろうと貧乏人《びんぼうにん》だろうと、だれが注《ちゅう》文《もん》しても文句《もんく》のつけようがないできばえだ。そんなすばらしい上着《うわぎ》を作《つく》れるのは、広《ひろ》い世界《せかい》でもおれだけさ。悪魔《あくま》が注文《ちゅうもん》したって、文句《もんく》なしの上着《うわぎ》を作《つく》ってみせる」

村人《むらびと》たちは、いつものじまんがはじまったと思《おも》いながら、うんうん、とうなずいて聞《き》いていた。けれど、黒《くろ》い帽子《ぼうし》の男《おとこ》だけはだまっていた。トムはそれが気《き》に入《い》らない。
「おや、あんた、ちがうっていうのかい。おれの腕《うで》にけちをつけるやつは、ただじゃおかないぞ」
トムはジョッキをおくと、こぶしをふりあげて男《おとこ》にむかっていった。だが、いすにつまずいて、バタンと前《まえ》のめりにひっくりかえった。

「あいたたた」

おきあがって、なおも男《おとこ》にとびかかろうとするトムを、ほかの客《きゃく》たちがおさえつけた。

「トム、もうそのへんでやめとけよ」

そのあいだに、黒《くろ》い帽子《ぼうし》の男《おとこ》はしずかに出《で》ていった。

トムが店《みせ》を出《で》たのは、それからしばらくして、真夜中近《まよなかちか》いころだった。

ふらふらと家《いえ》への道《みち》をたどっていると、目《め》の前《まえ》に黒《くろ》い帽子《ぼうし》の男《おとこ》があらわれた。

「おまえは、さっき、悪魔《あくま》が注文《ちゅうもん》しても文句《もんく》のつけようがない上着《うわぎ》を作《つく》れるといったな」

くらい夜道《よみち》でひとりきりのトムには、店《みせ》の中《なか》での威勢《いせい》のよさはひとかけらものこっていなかった。

「は、はい……」

「じゃあ、おれの上着《うわぎ》を作《つく》れ。一週間後《しゅうかんご》にここへもってこい。さっきの話《はなし》のとおりにいいできばえだったら、たっぷりほうびをやろう。

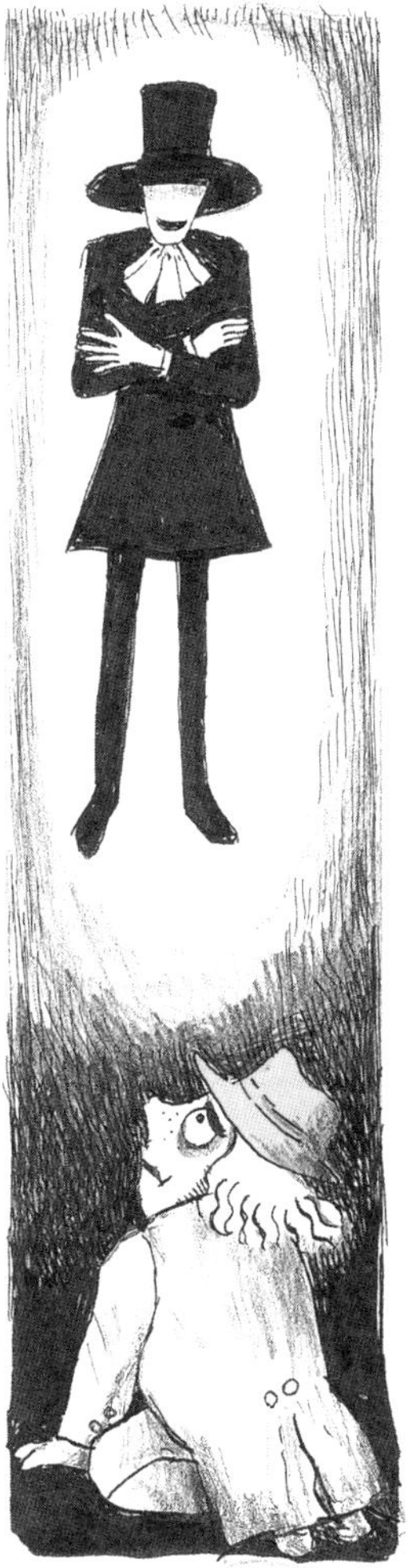

だが、もしそうでなかったら、おまえの体《からだ》も魂《たましい》もおれのものだ。さあ、寸法《すんぽう》をとれ」

トムはふるえる手《て》でメジャーをとりだして男《おとこ》の寸法《すんぽう》をとった。それがすむと男《おとこ》はきえた。ふと見《み》ると、メジャーがこげていて、指《ゆび》の先《さき》もこげくさかった。

それからなんとか家《いえ》に帰《かえ》ったものの、トムはちっともねむれなかった。朝《あさ》になると、おかみさんが文句《もんく》をいった。

「なにをひと晩中《ばんじゅう》ぶつぶついっていたのさ。おかげであたしもねむれなかったよ」

「じつはな、悪魔《あくま》の注文《ちゅうもん》で上着《うわぎ》を仕立《した》てることになったんだ。どんなにりっぱに作《つく》ったって、きっと、なにかしら文句《もんく》をいうにきまってる。そうしたら、おれは……」

ふたりは考《かんが》えたあげく、村《むら》の牧師《ぼくし》さんに相談《そうだん》することにした。そして、牧師《ぼくし》さんとの話《はなし》が終《お》わると、トムはさっそく家《いえ》で上着《うわぎ》を作《つく》りはじめた。

一週間後《しゅうかんご》、トムは上着《うわぎ》をもって、悪魔《あくま》と会《あ》ったくらい道《みち》へ出《で》かけていった。悪魔《あくま》は地面《じめん》から出《で》てきて、トムの前《まえ》に立《た》った。

「できたか。さっそく着《き》せてもらおうか」

トムが上着《うわぎ》を着《き》せると、悪魔《あくま》はいった。

「このそではなんだ。短《みじか》すぎるじゃないか」

トムはこたえた。

「そうかもしれないと思《おも》って、もう片方《かたほう》はすこし長《なが》めにしておきました」

見《み》るとたしかにそうなので、悪魔《あくま》はそでの長《なが》さについてはそれ以上《いじょう》文句《もんく》をいえなかった。

「ポケットが小《ちい》さすぎて手《て》が入《はい》らないぞ」

「だいじょうぶ、もう片方《かたほう》は大《おお》きくしましたから」

「すそが長《なが》すぎるな。足首《あしくび》がかくれそうだ」

「そうですか？　反対側《はんたいがわ》はすこし短《みじか》めにしたから、寸法《すんぽう》どおりですよ」

そんなふうに、悪魔《あくま》がなにか文句《もんく》をいうたびに、トムはかならずいいかえした。こっちの縫《ぬ》い目《め》がゆるいといえば、あっちの縫《ぬ》い目《め》はきつくしてある、このボタンがぴかぴかしすぎだといえば、べつのボタンは光《ひかり》をおさえてある、というぐあいだ。

牧師《ぼくし》さんが教《おし》えてくれたのはそのことだった。トムにいいかえされて、それ以上文句《いじょうもんく》をいえなければ、悪魔《あくま》はなにもできないのだ。

なにをいってもだめだとわかると、悪魔《あくま》はコインをひとつかみ投《な》げつけて、地面《じめん》の下《した》に姿《すがた》をけした。

パン屋《や》とミミズク

杉本栄子《すぎもとえいこ》

むかし、オーストリアのある村《むら》に、太陽《たいよう》という名前《なまえ》の宿屋《やどや》とパン屋《や》があった。宿屋《やどや》の主人《しゅじん》はパン焼《や》き職人《しょくにん》でもあった。

その主人《しゅじん》はかなりいいかげんな職人《しょくにん》で、きちんと小麦粉《こむぎこ》の量《りょう》をはかって、きめられた正《ただ》しい大《おお》きさのパンを焼《や》くことをしなかった。そこで、店先《みせさき》にならぶパンは小《ちい》さかったり、大《おお》きかったり、いつもばらばら。その日《ひ》の主人《しゅじん》の気分《きぶん》しだい、お客《きゃく》は運《うん》しだいというありさまだった。

パン屋《や》の近《ちか》くには森《もり》があり、たくさんのミミズクが、木《き》のくぼみにすみついていた。

ある晩《ばん》、主人《しゅじん》の耳《みみ》に、いつものようにミミズクのなき声《ごえ》が聞《き》こえてきた。

ホー、ホー、ホー、ホー、ホー。

「今夜《こんや》の声《こえ》はいつもとちがう、なんだか気味《きみ》が悪《わる》いな」

ホー、ホー、ホー　ホー、ホー、ホー　ホー、ホー、ホー……。

「いつまでないているつもりだ。ようし、こっちからも、おかえししてやるか」

主人《しゅじん》は窓辺《まどべ》に行《い》き、かるい気持《きも》ちで、森《もり》にむかってミミズクのなき声《ごえ》をまねした。

ホー、ホー、ホー。

その瞬間《しゅんかん》、大《おお》きなミミズクが庭《にわ》にとびこんできた。主人《しゅじん》はあわてて、窓《まど》の戸《と》をしめた。

コツ、コツ、コツ。

「ん、なんの音《おと》だ？」

コツ、コツ、コツ。

窓《まど》の戸《と》をつつく音《おと》だ。

すぐに窓《まど》の戸《と》に穴《あな》があいた。ミミズクはその穴《あな》をとおりぬけると、まっすぐに主人《しゅじん》にむかってきた。

「うわあ！」

主人《しゅじん》はおどろいて、となりの部屋《へや》ににげてドアをしめた。

コツ、コツ、コツ。

部屋《へや》のドアをつつく音《おと》だ。

すぐに部屋《へや》のドアに穴《あな》があいた。ミミズクはその穴《あな》をとおりぬけると、
まっすぐに主人《しゅじん》にむかってきた。

「なにをする！　やめろ！」

主人《しゅじん》はいそいでつぎの部屋《へや》へにげて、しっかりドアをしめた。

コツ、コツ、コツ。

また、部屋《へや》のドアをつつく音《おと》だ。主人《しゅじん》がどの部屋《へや》ににげても、どんな

厚《あつ》いドアをしめても、ミミズクはドアに穴《あな》をあけて、部屋《へや》に入《はい》ってきた。

「ああ、むかしから大《おお》ミミズクのなきまねをしてはいけないといわれていたけど、これはただのミミズクじゃあない！　どうしたらいいんだ！」

主人《しゅじん》は最後《さいご》にのこっていた仕事場《しごとば》ににげこんだ。ミミズクはおなじようにして、仕事場《しごとば》にも入《はい》ってきた。

「ああ、自分《じぶん》で悪魔《あくま》をよんでしまうとは！」

主人《しゅじん》は仕事場《しごとば》の中《なか》をおろおろと走《はし》りまわった。すると、パンをならべる板《いた》が目《め》に入《はい》った。パンは毎日《まいにち》、はちで生地《きじ》をこねて、丸《まる》く形《かたち》を作《つく》って板《いた》においておく。それをかまどに入《い》れて焼《や》きあげるのだ。板《いた》の上《うえ》にパンはなかった。

主人《しゅじん》はふるえる手《て》で板《いた》をつかんだ。こんなもので、自分《じぶん》の身《み》をまもることができるとは思《おも》わなかったが、ほかになにもない。板《いた》を両《りょう》手《て》でもつと、声《こえ》をかぎりにさけんだ。

「悪魔《あくま》め、出《で》ていけ！」

ホー、ホー、ホー。

大《おお》きなミミズクは羽《はね》を広《ひろ》げて、さらに大《おお》きくなり、主人《しゅじん》をあざ笑《わら》うように、けたたましくないた。

主人《しゅじん》は板《いた》を、ミミズクの目《め》の前《まえ》に高《たか》くかざ

して、もう一度《いちど》さけんだ。

「悪魔《あくま》め、出《で》ていけ！」

ホホホッー、ホホー。

ミミズクはとつぜん小《ちい》さくなると、仕事部屋《しごとべや》を出《で》て、森《もり》のほうへとんでいった。

主人《しゅじん》はおそろしさでしばらくふるえがとまらなかった。ひと息《いき》つくと、手《て》にもっていた板《いた》を見《み》て、つぶやいた。

「この板《いた》がミミズクをおいはらった？　まさか、この板《いた》が……？　ふしぎだな？」

あかりの下《した》に行《い》って板《いた》をよく見《み》ると、パン生地《きじ》がすこしだけ、ほんのちょっぴり、板《いた》のはじっこにはりついていた。

ワインとパンはだれでもしっているように神様《かみさま》のおくりものといわれている。

「そうか、この板《いた》についていたすこしのパン生地《きじ》が、悪魔《あくま》をおいはらってくれたのか。神様《かみさま》、感謝《かんしゃ》します」

それから、主人《しゅじん》は正《ただ》しい量《りょう》の小麦粉《こむぎこ》でパンを焼《や》くようになった。そして、命《いのち》を救《すく》われたことを神様《かみさま》に感謝《かんしゃ》して、毎年《まいとし》、まずしい人《ひと》びとにパンをわけあたえるという、ちかいを立《た》てた。このちかいは主人《しゅじん》の死後《しご》も、この家族《かぞく》にひきつがれたそうだ。

妖怪《ようかい》たちの職場見学《しょくばけんがく》

妖怪派遣会社《ようかいはけんがいしゃ》

休《やす》み時間《じかん》

「ここは派遣会社です。
人間界《にんげんかい》への妖怪《ようかい》派遣《はけん》をせんもんにしています」
「たとえば、どんなことですか」
「節分《せつぶん》の時期《じき》には鬼《おに》のみなさんに
人間界《にんげんかい》へ行《い》っていただいています。
豆《まめ》をぶつけられたりするきびしい仕事《しごと》ですが、
お給料《きゅうりょう》がいいので毎年《まいとし》応募《おうぼ》が多《おお》いんですよ」

豆《まめ》ぶつけられバイト
〈鬼限定《おにげんてい》〉2月3日《がつみっか》
ハードなお仕事《しごと》です。
体力《たいりょく》がある方《かた》！
時給《じきゅう》5000円《えん》
たくはい
〈足《あし》のはやい妖怪限定《ようかいげんてい》〉
週《しゅう》に1回金曜日《かいきんようび》
はやくて体力《たいりょく》のある方《かた》求《もと》む！
日給《にっきゅう》15000円《えん》
占《うらな》いバイト
〈予言妖怪限定《よげんようかいげんてい》〉
週《しゅう》に1回《かい》5時間《じかん》
占《うらな》い部屋《べや》で占《うらな》う
日給《にっきゅう》15000円《えん》
工事現場《こうじげんば》バイト
〈力《ちから》もち妖怪限定《ようかいげんてい》〉
月曜日金曜日《げつようびきんようび》
元気《げんき》な方《かた》求《もと》む！
日給《にっきゅう》15000円《えん》

担当《たんとう》 ふたくち女《おんな》
お金《かね》をかせぐのって たいへんね。
就職《しゅうしょく》もむずかしいと いうからねぇ……
え～！
また仕事《しごと》 きたよ～
ファックス きました～！

4時《じ》間《かん》目《め》

運《うん》転《てん》手《しゅ》が
のせたお客《きゃく》さんが……

幽霊《ゆうれい》のさがしもの

小沢清子《おざわきよこ》

山田《やまだ》さんは、タクシーの運転手《うんてんしゅ》です。

タクシーの運転手《うんてんしゅ》には、早出《はやで》と遅出《おそで》があります。朝《あさ》から働《はたら》く人《ひと》を早出《はやで》、夕方《ゆうがた》から働《はたら》く人《ひと》を遅出《おそで》といいます。山田《やまだ》さんは、遅出《おそで》です。

その日《ひ》、山田《やまだ》さんは夕方出勤《ゆうがたしゅっきん》してすぐ、お客《きゃく》さんをのせて、となりの町《まち》まで行《い》きました。

その帰《かえ》りのことです。行《い》きにあかるかった道《みち》も、帰《かえ》りにはくらくなっていました。

稲荷坂《いなりざか》という坂《さか》の近《ちか》くになると、山田《やまだ》さんの運転《うんてん》は、いつもしんちょうになります。

稲荷坂《いなりざか》は長《なが》くてゆるやかな坂《さか》なのに、よく事故《じこ》がおきることで、しられているからです。

つい二か月前《げつまえ》にも、わかい母親《ははおや》と子《こ》どもふたりが、事故《じこ》で亡《な》くなっていました。

車《くるま》がちょうど、稲荷坂《いなりざか》の上《うえ》にさしかかったとき、なにげなく、バックミラーをのぞいた山田《やまだ》さんは、ハッと、息《いき》をのみました。

うしろの座席《ざせき》に、白《しろ》いカーディガンの女《おんな》の人《ひと》がのっているのです。も

ちろん、のせたおぼえはありません。

ちゃんとたしかめようと、車《くるま》を道《みち》のわきにとめて、車内灯《しゃないとう》をつけてみました。

するとうしろには、だれもいません。

でも、あかりをけして車《くるま》を走《はし》らせると、やっぱりうしろにのっています。

三十代《だい》くらいでしょうか。きつくとじたまぶたが、穴《あな》の底《そこ》にあるかのように、目《め》がふかくおちくぼんでいます。

(ゆ、幽霊《ゆうれい》……)

そう気《き》づいたとたん、山田《やまだ》さんは、どこをどう走《はし》っているのかわからないほど、あわてました。こわくてもうしろをふりむけません。

ハッハッとあらい息《いき》をはきながら、全身《ぜんしん》の力《ちから》でハンドルを強《つよ》くにぎりしめて、坂道《さかみち》をくだりました。くだりきって、バックミラーをのぞくと、もう女《おんな》の人《ひと》の姿《すがた》はきえていました。

ふうーーっ。

車《くるま》をとめて山田《やまだ》さんは、大《おお》きな息《いき》をはきました。ハンドルをにぎった手《て》は、あせばんでいるのに、のどは、カラカラにかわいています。

山田《やまだ》さんが会社《かいしゃ》へもどって、遅番《おそばん》の仲間《なかま》に、幽霊《ゆうれい》の話《はなし》をすると、

「あんたもかい。いま、その話《はなし》をしてたんだ。おれは、おとといの夜《よる》さ。

稲荷坂《いなりざか》の手前《てまえ》で気《き》がついてな。いやぁー、ビビったよ」

仲間《なかま》の話《はなし》では、一週間《しゅうかん》くらい前《まえ》から、幽霊《ゆうれい》がのってくるようになったそうです。

それからも、山田《やまだ》さんたちの車《くるま》が稲荷坂《いなりざか》の手前《てまえ》までくると、かならず女《おんな》の幽霊《ゆうれい》がのってきました。

幽霊話《ゆうれいばなし》はたちまち広《ひろ》まって、山田《やまだ》さんたちのタクシーは、町《まち》の人《ひと》たちから、幽霊《ゆうれい》タクシーといわれるようになりました。そして、幽霊《ゆうれい》ののるタクシーなんて、気味《きみ》が悪《わる》いのでしょうか。遅番《おそばん》のタクシーにのるお客《きゃく》さんが、だんだんへってきたのです。

「幽霊《ゆうれい》なんか好《す》きでのせてるわけじゃねえや。幽霊《ゆうれい》のせいで、商売《しょうばい》あがったりだよ。どうにかするべえ」

山田《やまだ》さんたち遅番《おそばん》の運転手《うんてんしゅ》は、あつまって相談《そうだん》をしました。

「おれたちさ、毎年交通安全《まいとしこうつうあんぜん》の祈願《きがん》をして、神社《じんじゃ》でお札《ふだ》をもらうだろ？　厄払《やくばら》いに、車《くるま》もおはらいしてもらったらどうだい？」

「いや、それよりだ。あの稲荷坂《いなりざか》の手前《てまえ》でかならず幽霊《ゆうれい》がのるのは、なにかわけがあるんでねえかい？　口寄《くちよ》せにたのんで、幽霊《ゆうれい》にわけを聞《き》いてもらおうや」

という仲間《なかま》もいて、口寄《くちよ》せにたのんで、拝《おが》んでもらうことにしました。

口寄《くちよ》せというのは、拝《おが》みながら、亡《な》くなった人《ひと》をよびだして、死《し》んだ人《ひと》の思《おも》いを聞《き》くことができる人《ひと》のことです。

山田《やまだ》さんたちにたのまれた口寄《くちよ》せの女《おんな》の人《ひと》は、

ドンバン　ドンバン

とうちわのようなたいこをたたいて、クチャクチャと、呪文《じゅもん》だかお経《きょう》だかをとなえました。

すると、口寄《くちよ》せの人《ひと》に、女《おんな》の幽霊《ゆうれい》がのりうつって、話《はな》しだしました。

「わたしはふた月前《つきまえ》に、稲荷坂《いなりざか》で事故《じこ》をおこして、子《こ》どもふたりと死《し》んだ女《おんな》です。あのとき、車《くるま》ごと道《みち》の下《した》におちて、車《くるま》から投《な》げだされました」

「その死《し》んだものが、なんで稲荷坂《いなりざか》をとおるタクシーにのって、さまよっているんか？」

と、山田《やまだ》さんが聞《き》くと、女《おんな》の幽霊《ゆうれい》は、

「あああー。あのとき、わたしの首《くび》が、道《みち》の下《した》の木《き》にひっかかって、そのしょうげきで、目《め》が、目玉《めだま》がぬけました。目玉《めだま》がなくては見《み》えなくて、あの世《よ》へ行《い》けません。それでタクシーにのって、目玉《めだま》をさがしにいってるのです」

そこで、山田《やまだ》さんたちは、幽霊《ゆうれい》の話《はな》していた住所《じゅうしょ》をしらべると、家族《かぞく》がすんでいました。

その家族《かぞく》の人《ひと》たちに、女《おんな》の幽霊《ゆうれい》の目玉《めだま》のことを話《はな》してあげたのです。

すぐに女《おんな》の人《ひと》の夫《おっと》や両親《りょうしん》が、稲荷坂《いなりざか》の下《した》へ行《い》って、お墓《はか》のあたりをさがしました。すると、お墓《はか》のわきにある松《まつ》の木《き》の下《した》に、かわいた目玉《めだま》がおちていました。

家族《かぞく》はその目玉《めだま》を、女《おんな》の人《ひと》のお墓《はか》に入《い》れてあげたのです。

それからは、山田《やまだ》さんたちのタクシーに、女《おんな》の幽霊《ゆうれい》がのることはなかったそうです。

たぬきの汽車《きしゃ》ごっこ

岩崎京子《いわさききょうこ》

これは、明治《めいじ》のはじめごろのお話《はなし》です。

日本《にほん》ではじめて鉄道《てつどう》がしかれたのは、明治《めいじ》五（一八七二）年《ねん》。陸蒸気《おかじょうき》がうごきだしたのは、その年《とし》の五月《がつ》となっておりますが、そのころはまだ、横浜《よこはま》から品川《しながわ》までしか線路《せんろ》は完成《かんせい》しておらず、横浜《よこはま》から新《しん》橋《ばし》まで運転《うんてん》したのは、九月《がつ》十二日《にち》でした。

どの駅《えき》も菊《きく》でかざられ、花火《はなび》はどどどーんぱっ！

いや、にぎやかなもんでした。

「陸蒸気《おかじょうき》てえのは、はえぇのなんの……。一時間《じかん》に百マイルでやすと。さすが文明開化《ぶんめいかいか》だよな。どんくれえはえぇか、こいつはのってみんべ」

のるのがおっかないというお方《かた》も、線路《せんろ》の両側《りょうがわ》につめかけて、大《おお》さわぎしやした。

こういうお祭《まつ》りさわぎの好《す》きなのは、人間《にんげん》ばっかじゃございやせん。じつは沿線《えんせん》の山《やま》の手《て》にすんでいるたぬきもじっとしていられなかったんだそうで……。

横浜《よこはま》の鶴見《つるみ》のあたりは片側《かたがわ》は海《うみ》。線路《せんろ》ぎりぎりのところまで、波《なみ》がぴしゃん、ぴしゃぱしゃくるところもあり、かと思《おも》うと反対側《はんたいがわ》は山《やま》また山《やま》。

その山《やま》のすそのほうに、てんてんと穴《あな》があ

りました。

それがたぬきのすみ家《か》で、どの穴《あな》には子《こ》だぬき何《なん》びきという大家族《だいかぞく》だとか。そのとなりはひとりもの。そのまたとなりは若夫婦《わかふうふ》というぐあい。村《むら》のもんは、どこにたぬきがいるか、しっかりとわかっておりやした。

なんでも、村役場《むらやくば》の帳面《ちょうめん》には、村《むら》のものの戸籍《こせき》みたいに、たぬきの数《かず》ものってるとか……。

そのたぬきがでやす。陸蒸気《おかじょうき》がめずらしかったんだか、なんなんだか……。

それも見物《けんぶつ》っくれえじゃおさまんなくってですよ。黒《くろ》い鉄《てつ》の陸蒸気《おかじょうき》てえのに化《ば》けやして、

ぴぃ　ぽうっ
しゅっ　しゅっ　しゅっ
がたん
ごとん
と線路《せんろ》の上《うえ》で汽車《きしゃ》ごっこ。
そこに、新橋駅発《しんばしえきはつ》のほんものの陸蒸気《おかじょうき》がやってきて……。
「あれっ、な、なんだ」
くだりの運転手《うんてんしゅ》はびっくりぎょうてん！
のぼり列車《れっしゃ》がけむりをふいて、真《ま》っ正面《しょうめん》からやってくるんですから。
とにかく、鉄道《てつどう》ができてまもないころは、線路《せんろ》は単線《たんせん》でした。

のぼりもくだりもおなじ線路《せんろ》を走《はし》るのですが、時間《じかん》がきまっていて、けっして出会《であ》うことはないはずです。

くだりの運転手《うんてんしゅ》は、つなをひっぱりました。

「とまれ。とまれ。とまれってえの……」

陸蒸気《おかじょうき》は、きゅうにはとまれないのはわかっています。ええい、しょうがない。

くだりの運転手《うんてんしゅ》は目《め》をつぶって、すすみました。

ところが、ぶつかる衝撃《しょうげき》はありません。

「あれっ!」

朝《あさ》になってしらべてみると、鶴見《つるみ》のたぬきの主《ぬし》というか、親分《おやぶん》たぬきがひかれていたそうです。

妖怪《ようかい》博士《はかせ》

うしみつトオル博士《はかせ》の妖怪《ようかい》学《がく》講《こう》座《ざ》

第《だい》3回《かい》「妖怪《ようかい》の大将《たいしょう》ってだ〜れ?」

フォッフォッフォッ……。
妖怪《ようかい》の総大将《そうだいしょう》といえば、そう！　**ぬらりひょん**じゃ。
しかし、それは現代《げんだい》になってからというのは
しっておったかな?
江戸時代《えどじだい》、妖怪《ようかい》の大将《たいしょう》といえば、**見越《みこ》し入道《にゅうどう》**だった。
どんどん背《せ》の高《たか》くなる妖怪《ようかい》だが、
江戸時代《えどじだい》では首《くび》が長《なが》い姿《すがた》でえがかれる。
ライバルは**ももんがあ**という現代《げんだい》では
マイナーな妖怪《ようかい》だな。

ほかにも、広島県三次市に稲生平太郎という
少年《しょうねん》の前《まえ》にあらわれた**山本五郎左衛門**《さんもとごろうざえもん》という妖怪《ようかい》は、
神野悪五郎《しんのあくごろう》という妖怪《ようかい》と魔王《まおう》の座《ざ》をかけて
あらそっているそうじゃ。
時代《じだい》や地域《ちいき》によって、
妖怪《ようかい》はさまざまな形《かたち》でつたえられる。
そのあいだに新《あら》たな情報《じょうほう》が生《う》まれたり、
むかしの情報《じょうほう》がうしなわれて、
妖怪《ようかい》の総大将《そうだいしょう》も変化《へんか》するのじゃ。
さて、ぬらりひょんの天下《てんか》は
あとどれくらいかな？

ぬらりひょん

給食《きゅうしょく》
はやくしないと、のびちゃうわよ～
しんけん！

最期《さいご》のラーメン

大島清昭《おおしまきよあき》

わたしたち夫婦《ふうふ》は、商店街《しょうてんがい》でラーメン屋《や》をいとなんでいます。

料理《りょうり》を作《つく》るのは、おもに夫《おっと》です。こくのあるスープに、湯《ゆ》ぎりしためんを入《い》れ、チャーシューやメンマをトッピング。ほとんどどうじ進行《しんこう》で、中華《ちゅうか》なべをふるって手《て》ばやくチャーハンもしあげます。その手《て》ぎわのよさは、いつ見《み》てもほれぼれします。

いっぽうのわたしは、注文《ちゅうもん》をとったり、料理《りょうり》を運《はこ》んだりなど、接客《せっきゃく》を担当《たんとう》しています。

お客《きゃく》さんは、だいたいが常連《じょうれん》ばかりです。近《ちか》くの会社《かいしゃ》で働《はたら》くサラリーマン、近所《きんじょ》に住《す》んでいる人《ひと》たち、部活《ぶかつ》や塾帰《じゅくがえ》りの高校生《こうこうせい》……。みんな顔《かお》も名前《なまえ》もよくしっています。

玉山《たまやま》さんもそんな常連《じょうれん》のお客《きゃく》さんのひとりで、一週間《しゅうかん》に一度《ど》はかならずお店《みせ》にきてくれていました。丸顔《まるがお》の中年男性《ちゅうねんだんせい》で、たいていニコニコしています。住《す》まいが近《ちか》いせいか、土曜日《どようび》や日曜日《にちようび》にきてくれることが多《おお》かったと思《おも》います。

玉山《たまやま》さんは、マンガ雑誌《ざっし》を片手《かたて》に、いつもカウンター席《せき》のはしっこにすわります。

そして、わたしにむかって、

「いつもの」

と注文《ちゅうもん》します。

玉山《たまやま》さんの「いつもの」は、チャーシューメン大《おお》もりに、味付《あじつ》けタマゴをトッピングです。

「たまにはちがうメニューも注文《ちゅうもん》しようと思《おも》うんだけど、けっきょく、いつものが食《た》べたくなっちゃうんだよねぇ」

そういって、スープをのみ、おいしそうにラーメンをすすります。

ほかの常連《じょうれん》のお客《きゃく》さんたちも、玉山《たまやま》さんの言葉《ことば》に、わかるわかるとうなずいています。

そんな玉山《たまやま》さんでしたが、きゅうにお店《みせ》に顔《かお》を見《み》せなくなりました。体調《たいちょう》をくずしてしまって、総合病院《そうごうびょういん》に入院《にゅういん》してしまったのです。

玉山《たまやま》さんと親《した》しい常連《じょうれん》の羽鳥《はとり》さんは、

「ガンが見《み》つかったらしい。見舞《みま》いに行《い》ったけど、ちょっとしんどそうだったなぁ」

と教《おし》えてくれました。

わたしたち夫婦《ふうふ》は、ニコニコ顔《がお》の玉山《たまやま》さんしかしりませんでしたから、とても心配《しんぱい》していました。

ある日《ひ》、わたしたち夫婦《ふうふ》が店《みせ》の開店準備《かいてんじゅんび》をしていたときのことです。ちゅうぼうからは、スープのかおりがただよい、夫《おっと》が中華包丁《ちゅうかぼうちょう》で材料《ざいりょう》をきざむトントントントンという音《おと》が聞《き》こえていました。わたしは入《い》り口《ぐち》に背中《せなか》をむけて、カウンターを台《だい》ふきんでふいていました。

すると、入《い》り口《ぐち》があいて、だれかが店《みせ》に入《はい》ってくる物音《ものおと》がしました。

わたしはあわてて、

「ま、まだ準備中《じゅんびちゅう》です！」

とふりかえりました。

しかし、お客《きゃく》さんらしき人《ひと》はいませんでした。入《い》り口《ぐち》もしまったまま

です。

「え？」

たしかに、はっきりした足音《あしおと》と、いまにも注文《ちゅうもん》を口《くち》に出《だ》すような息《いき》づかいも聞《き》こえたのですが……。

わたしはすこしのあいだ、なにがおこったのかわからず、ぼうっとしていました。

夫《おっと》がちゅうぼうからふしぎそうにこちらを見《み》ています。

そこでわたしは、

「ねえ、いま。だれか入《はい》ってきたみたいな音《おと》したよね？」

とたずねました。

「ああ。おれも入《い》り口《ぐち》があいたのかと思《おも》ったけど……」

どうやら夫《おっと》もおなじような物音《ものおと》を聞《き》いたようです。

ふと時計《とけい》を見《み》ると、ちょうど十時《じ》でした。

その日《ひ》の夕方《ゆうがた》のことです。

「玉山《たまやま》さん、亡《な》くなったんだって」

羽鳥《はとり》さんが店《みせ》にくるなり、そういいました。

「え？　いつ？」

「今日《きょう》の十時《じ》ぴったりって聞《き》いたよ」

「え！　それって……」

午前中《ごぜんちゅう》に、だれかの気配《けはい》が店《みせ》に入《はい》ってきた時間《じかん》とおなじです。

わたしと夫《おっと》は顔《かお》を見《み》あわせました。

おそらくあの気配《けはい》は、玉山《たまやま》さんが最期《さいご》のあいさつにきてくれたのでしょう。

どうやら夫《おっと》もそう思《おも》ったようです。

夫《おっと》は、玉山《たまやま》さんのために最期《さいご》のラーメンを作《つく》ると、玉山《たまやま》さんがいつもすわっていたカウンター席《せき》のはしっこにおきました。

もちろん、チャーシューメン大《おお》もりに、味付《あじつ》けタマゴをトッピングです。

「玉山《たまやま》さん、ゆっくり食《た》べてくださいね」

そういって、わたしはなみだをぬぐいました。

昼休《ひるやす》み

妖怪《ようかい》たちの職場見学《しょくばけんがく》

スーパー（食品売《しょくひんう》り場《ば》）

「いらっしゃい、いらっしゃい！
今日《きょう》の特売《とくばい》はこちら！
バクのみなさまに大人気《だいにんき》。
《悪夢《あくむ》の真空《しんくう》パック》
各《かく》三種《しゅ》が特売《とくばい》になっております～」

「《悪夢《あくむ》の真空《しんくう》パック》ってなんですか？」

「《殺《ころ》される夢《ゆめ》》《おっこちる夢《ゆめ》》
《おいかけられる夢《ゆめ》》
がこの中《なか》に入《はい》ってるよ～」

こっちにおかしあるぞ!
ありがとうございます
レジ
かまぼこコーナー
あげコーナー
とうふコーナー
かおとうふ
おいしそう!
どれもしんせんそうだニャー!
わわ!こんなの売《う》っているんだ!
大特価!
クラーケンの足1本
600円

5時間目《じかんめ》

腕《うで》をかえして

望月正子《もちづきまさこ》

　だいぶむかしの話《はなし》だ。おれはわかいころ、消防団《しょうぼうだん》に入《はい》っていた。
　そのころはまだ、このいなか町《まち》には消防署《しょうぼうしょ》なんてなくてな。村《むら》の農家《のうか》や商店《しょうてん》などのわかものが、仕事《しごと》をしながら、火事《かじ》や遭難救助《そうなんきゅうじょ》など、警察《けいさつ》に協力《きょうりょく》して出動《しゅつどう》していたのさ。おれは消防団《しょうぼうだん》もこの店《みせ》もおやじのあとをついでやっていたさ。
　いまなら火事《かじ》だって、電話《でんわ》一本《ぽん》で専門《せんもん》の消防署員《しょうぼうしょいん》がすぐ出動《しゅつどう》するが、

むかしはそうじゃない。

消防団《しょうぼうだん》にふれがまわると、消防団員《しょうぼうだんいん》はなにをおいてもはっぴをひっかけ分団《ぶんだん》にかけつけたものさ。そんでもって、火事《かじ》なら消防車《しょうぼうしゃ》でかけつけるんだが、間《ま》にあわない人《ひと》は現場《げんば》まで走《はし》っていくこともあった。きびしい仕事《しごと》だが、みんな村《むら》をまもっているって気迫《きはく》があったな。

火事《かじ》をけしても、警察《けいさつ》の現場検証《げんばけんしょう》が終《お》わるまでは、何人《なんにん》かがのこって現場《げんば》をまもり、あとかたづけもする。そのほかにも、行方不明者《ゆくえふめいしゃ》の捜索《そうさく》、この辺《へん》だと海《うみ》におちた人《ひと》の救助《きゅうじょ》なども消防団《しょうぼうだん》の仕事《しごと》だったさ。

ここは海《うみ》の景色《けしき》がよくて、むかしからの観光地《かんこうち》だからな、お客《きゃく》さんに事故《じこ》のないようにと、避難訓練《ひなんくんれん》もやった。そうだ、こんなこともあった。

あるとき、わかい男《おとこ》の観光客《かんこうきゃく》が店《みせ》にかけこんできて、大声《おおごえ》で「自殺《じさつ》だっ」っていうんだ。

「えっ、だれが？　どこで？」

「し、しりません！」

「じゃあ、どうして自殺《じさつ》だと？」

「しらないよ！　だけど見《み》たんだ。赤《あか》いハイヒール。あれって自殺《じさつ》だろ？　テレビで見《み》たのとおなじだった」

男《おとこ》の話《はなし》によるとな。鳥《とり》をさがして双眼鏡《そうがんきょう》をのぞいていたら、海側《うみがわ》のがけの近《ちか》くにハイヒールが両足《りょうあし》ぶんそろえてあったというんだ。

ここらはな。いまは遊歩道《ゆうほどう》がきちんとできているが、むかしはけっこうがけっぷちまで行《い》けたのさ。そんで、自殺《じさつ》の名所《めいしょ》というほどでもないが、たまにがけから海《うみ》にとびこむ人《ひと》がいたのさ。

すわ出動《しゅつどう》だ。

警察《けいさつ》と消防団《しょうぼうだん》にれんらくし、おれは近《ちか》くの消防団員仲間《しょうぼうだんいんなかま》のふたりと、教《おし》えられたハイヒールのある場所《ばしょ》にかけつけた。

おれらの消防団《しょうぼうだん》は、こういうときの訓練《くんれん》もしていたでな。それで、ふたりに上《うえ》にのこってもらい、おれはロープにからだをゆわいつけ、見当《けんとう》つけておりながらさがしたさ。だが、がけのとちゅうにひっかかっているようすはない。体《からだ》はしめつけられるし、日《ひ》がかたむきかけてきたもんでだいぶあせってな。いったん下《した》までおりようとがけ下《した》を見《み》たら、水《みず》ぎわにふやけたふくろのようなものが見《み》えた。

よく見《み》ると、ぶくぶくにふくれた死体《したい》だった。

うわっと一瞬《いっしゅん》ひるんだが、まよっているばあいではない。

「おーい、いたぞーっ」

と上《うえ》にむかってさけぶと、死体《したい》をつつむためのむしろがおりてきた。

むちゅうで死体《したい》を岸《きし》にひきずりあげて、なんとかむしろにのせた。そのとき、ぽしゃっと大《おお》きな音《おと》がしたが、ひきあげるのにせいいっぱいだったさ。じつはおれ、死体《したい》の収容《しゅうよう》ははじめてだったからね。あとからきた団員《だんいん》たちにも助《たす》けてもらい、むしろの両《りょう》はしをロープでしばって、無事《ぶじ》にひきあげが終《お》わった。

かけつけた警察《けいさつ》にひきわたし、状況《じょうきょう》を説明《せつめい》したら任務《にんむ》は終《お》わりだ。

「風呂《ふろ》だ、風呂《ふろ》だ！」

と、仲間《なかま》とわかれて家《いえ》にもどった。

そんでもっておれは、頭《あたま》から足《あし》の先《さき》までごしごしあらって風呂《ふろ》からあがり、店《みせ》をしまったおやじと一ぱいやったさ。

しばらくすると、表《おもて》の戸《と》をたたく音《おと》がした。

「この時間《じかん》じゃ、お前《まえ》の連《つ》れじゃないかね」

と、おふくろにいわれ出《で》てみると、玄関先《げんかんさき》にずぶぬれの女《おんな》の人《ひと》が立《た》っていた。

「どなた？」

と聞《き》いたが返事《へんじ》がない。

にわか雨《あめ》かと外《そと》を見《み》たが、そんなようすはない。するとその女《おんな》が、
「腕《うで》をかえして」
と、きえいりそうな声《こえ》でいった。
いったいなんのことだ？　ぞっとしたよ。そんで気《き》がついた。
死体《したい》の女《おんな》だ！
ではあのとき腕《うで》が……そのときの感触《かんしょく》がよみがえり、おれはむくむくと腹《はら》が立《た》ってきた。

「海《うみ》にかってにとびこむなんて、めいわくなんだよ。わかっているのか！　かってに死《し》ぬなんて、はやく家《いえ》に帰《かえ》って両親《りょうしん》にあやまれ！」

って、どなりつけてやった。

すると、女《おんな》はすーっときえた。

それから何日《なんにち》かして、初老《しょろう》の夫婦《ふうふ》がおれをたずねてきたよ。そんで礼《れい》をいうんだ。

「おかげさまで、娘《むすめ》とわかりました。家《いえ》に帰《かえ》れと、しかってくれたそうですね。娘《むすめ》から聞《き》きました」と。

そんなこともあったなあ。

おじいちゃんの診療所《しんりょうじょ》

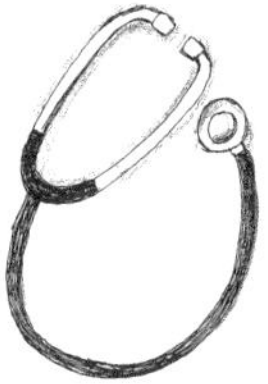

高津美保子《たかつみほこ》

直樹《なおき》は東京《とうきょう》の大学病院《だいがくびょういん》で、一人前《いちにんまえ》の医者《いしゃ》になるために見習《みなら》いの研修医《けんしゅうい》をしている。将来《しょうらい》をどうするかはまだきめていない。

実家《じっか》は東京郊外《とうきょうこうがい》にあり、父親《ちちおや》はそこで内科小児科医院《ないかしょうにかいいん》を開業《かいぎょう》している。

祖父《そふ》もまた医者《いしゃ》で、過疎化《かそか》のすすむ山村《さんそん》でいまも村人《むらびと》をみている。

祖父《そふ》の先祖《せんぞ》は、村《むら》で祈祷師《きとうし》でもあり、治療《ちりょう》もする医者《いしゃ》のような仕事《しごと》をしていて、祖父《そふ》の代《だい》になってはじめて正式《せいしき》に医者《いしゃ》になった。

直樹《なおき》の父《ちち》も跡《あと》をつぐつもりで医者《いしゃ》になったものの、すぐにたたりだとか、霊《れい》がついているなどという村人《むらびと》のいる村《むら》をきらって、町《まち》で開業《かいぎょう》している。

ある夏《なつ》、直樹《なおき》は一週間《しゅうかん》ほどだが、休暇《きゅうか》をかねて山里《やまざと》の祖父《そふ》の診療所《しんりょうじょ》を手《て》つだうことにした。緑《みどり》が多《おお》く、近《ちか》くの川《かわ》では釣《つ》りもできる自然《しぜん》ゆたかな場所《ばしょ》で、休暇《きゅうか》を楽《たの》しみながら祖父《そふ》を手《て》つだった。

しかし、診療《しんりょう》のようすは都会《とかい》の病院《びょういん》とはまるでちがっていた。

「やあ、ひさしぶりだね。今日《きょう》はどうした？　ひとりできたの？　ばあちゃんも元気《げんき》か？」

などと世間話《せけんばなし》からはじまり、「ちょっと胸《むね》みせて」といって、聴診器《ちょうしんき》をあて、

「どれ、脈《みゃく》をとらせて……」

と、手《て》をとる。

「だいじょうぶだ。心配《しんぱい》いらん。ちょっと無理《むり》したんじゃない」

といって、患者《かんじゃ》の背中《せなか》をさすり、肩《かた》をだきながら出口《でぐち》までおくる。

「薬《くすり》は？」

と聞《き》かれると、

「薬《くすり》？　いらんいらん。おいしいもの食《く》って、ゆっくり休《やす》めばなおる」

「診療費《しんりょうひ》は？」

と聞《き》かれると、

「さっきとれたての枝豆《えだまめ》もらったろう」

というぐあいだ。

患者《かんじゃ》がくれば、内科《ないか》も外科《げか》もない。どんな病気《びょうき》もみることになる。祖父《そふ》は「薬《くすり》はなるべくのむな」を信条《しんじょう》としていて、めったに薬《くすり》はつかわない。近代的《きんだいてき》な医療器具《いりょうきぐ》はないが、たいていの病気《びょうき》は脈診《みゃくしん》と聴診《ちょうしん》でいいあて、的確《てきかく》な手当《てあ》てをしてなおしていた。もちろん、むつかしい病気《びょうき》のときは、町《まち》の病院《びょういん》を紹介《しょうかい》した。

しかし、祖父《そふ》といっしょに仕事《しごと》をするうち、直樹《なおき》は祖父《そふ》には、医者《いしゃ》とはちがうとくべつな能力《のうりょく》があるのに気《き》がついた。

ある日《ひ》、きゅうに体《からだ》のぐあいが悪《わる》くなって歩《ある》けない、とせおわれてやってきた患者《かんじゃ》がいた。

「じいちゃん、いつから歩《ある》けない？」

「きのうの晩《ばん》からだ」

「きのう、石《いし》をうごかしゃしなかったか？」

「ええっ！　そういえば……」

患者《かんじゃ》がおどろいて、きのう夕方庭《ゆうがたにわ》にある石《いし》をうごかした話《はなし》をすると、

「それだよ。運《はこ》ばれた石《いし》がもとの場所《ばしょ》に帰《かえ》りたいって、泣《な》いているよ。もとにもどせばすぐになおる。いいか。酒《さけ》できよめて石《いし》にあやまってから、もとにもどすんだ。きよめの呪文《じゅもん》はこうだ」

と、呪文《じゅもん》を教《おし》えた。

直樹《なおき》はおじいちゃんには先祖《せんぞ》の祈祷師《きとうし》の血《ち》がながれているんだ！　と心臓《しんぞう》がドキドキした。

その後《ご》も直樹《なおき》にはおどろくようなことがいろいろあって、父《ちち》がこの診療所《しんりょうじょ》をつぐのはごめんだと、出《で》ていったのがわかるような気《き》がした。

夏《なつ》も終《お》わり、直樹《なおき》は大学病院《だいがくびょういん》にもどった。

大学病院《だいがくびょういん》は施設《しせつ》もきれいで、医療器具《いりょうきぐ》も薬《くすり》もととのい不自由《ふじゆう》はなかった。だが、ながれ作業《さぎょう》のように患者《かんじゃ》を診察《しんさつ》する毎日《まいにち》に、だんだん疑問《ぎもん》を感《かん》じるようになってきた。

聴診器《ちょうしんき》はつかうものの、心音《しんおん》を聞《き》き、脈診《みゃくしん》をとるだけで病名《びょうめい》をさぐることなんてできない。すぐに検査《けんさ》にたよってしまう。

(おじいちゃんの診療所《しんりょうじょ》だったらどうするかな?)

と思《おも》うようなことがたびたびあって、高齢《こうれい》になってきた祖父《そふ》を手《て》つだって、村《むら》の診療所《しんりょうじょ》で働《はたら》いてみようかなと思《おも》うようになった。

若先生《わかせんせい》の往診《おうしん》 助《たす》かります

そして、翌年《よくとし》の春《はる》から、直樹《なおき》は村《むら》の診療所《しんりょうじょ》で働《はたら》きはじめた。

とまどうこともたくさんあったが、村人《むらびと》とのつきあいにもだんだんになれてきた。

祖父《そふ》ひとりではなかなかできなかった往診《おうしん》もひきうけ、直樹《なおき》は山道《やまみち》をのぼりくだりして、患《かん》者《じゃ》の家《いえ》をたずねた。

「若先生《わかせんせい》がこられてから、往診《おうしん》してもらえるんで、ほんとうに助《たす》かります」

山里《やまざと》の村《むら》で、年《とし》よりの病人《びょうにん》が診療所《しんりょうじょ》に行《い》くのはたいへんだったから、ずいぶん重宝《ちょうほう》がられた。

あるとき、体《からだ》のあちこちがいたいとうったえる患者《かんじゃ》さんに、話《はなし》を聞《き》きながら体《からだ》をやさしくさすってあげると、

「ああ、だんだん痛《いた》みがひいてきた。らくになった。若先生《わかせんせい》の手《て》も魔法《まほう》の手《て》だな」

といわれた。

手《て》のひらを見《み》ると、直樹《なおき》の手《て》は熱《ねつ》をもち、真《ま》っ赤《か》になっていた。

診療所《しんりょうじょ》に帰《かえ》る山道《やまみち》をくだりながら、直樹《なおき》は自分《じぶん》の中《なか》にもおじいちゃんの血《ち》がながれているのかもしれないと気《き》がついた。

妖怪《ようかい》たちの職場見学《しょくばけんがく》
休《やす》み時間《じかん》
洋服屋《ようふくや》
「オリジナルの服もありますよ。アクセサリーやバッグなどの小物《こもの》は手作《てづく》りのものが人気《にんき》です」
「この白《しろ》いのは？」
「幽霊《ゆうれい》さんむけです。うちの店《みせ》のもののほうがデザインがいいからって、人間界《にんげんかい》からきたばかりの幽霊《ゆうれい》がまとめて買《か》っていきますよ」
店長 くも女
かわいい！
麗華《れいか》ちゃん
ぜったいにあうよ
がいこつぼうし
デビルぼうし
百目ぼうし
ぼうし
キュート♡
アクセサリー
JIZO

6時《じ》間《かん》目《め》

森《もり》の猟師《りょうし》小屋《ごや》で

斎藤君子《さいとうきみこ》

カレリアはロシアとフィンランドのあいだにある土地《とち》だ。そのカレリアに住《す》んでいる猟師《りょうし》がこんな話《はなし》をしてくれた。

冬《ふゆ》のある日《ひ》、猟師《りょうし》は森《もり》で狩《か》りをしていたそうだ。北国《きたぐに》の冬《ふゆ》は日《ひ》が短《みじか》く、あっという間《ま》に日《ひ》がくれる。この日《ひ》もむちゅうで獲物《えもの》をおいかけるうち、いつのまにか日《ひ》がしずみ、あたりはくらやみにつつまれた。

「おそくなってしまった。今夜《こんや》は森《もり》の小屋《こや》にとまるとするか」

猟師《りょうし》はそう考《かんが》えて、森《もり》の中《なか》の猟師《りょうし》小屋《ごや》へ行《い》った。小屋《こや》で火《ひ》をおこしていると、どこか遠《とお》くのほうで犬《いぬ》がはげしくほえたてる声《こえ》がし、それにつづいて「パン、パン！」と銃声《じゅうせい》がした。

「こんなくらやみの中《なか》で狩《か》りをするなんて！　ふつうの人間《にんげん》だったら、こんなくらやみで銃《じゅう》をうっても命中《めいちゅう》しないはずだ」

猟師《りょうし》はふしぎに思《おも》った。

それからしばらくして、「ドン、ドン！」とドアをたたく音《おと》がし、ドアがぱっとあいた。猟師《りょうし》がふりかえると、大男《おおおとこ》がズカズカと入《はい》ってきた。それにつづいて犬《いぬ》も入《はい》ってきた。大男《おおおとこ》は大《おお》きな目《め》をぎょろりと光《ひか》らせて、猟師《りょうし》の顔《かお》を見《み》た。そのとき、大男《おおおとこ》の上着《うわぎ》のいちばん上《うえ》のボタンがあやし

く光《ひか》った。「こいつはただものじゃないぞ」と猟師《りょうし》は思《おも》ったが、もうおそかった。

「今夜《こんや》はおまえが一番《ばん》で、おれが二番《ばん》か。まあいい、ここにとまるぞ」

大男《おおおとこ》がそういったのだ。猟師小屋《りょうしごや》というのは、きた人《ひと》はだれでもとめてやらなければいけないことになっている。それが古《ふる》くからのきまりだからしかたがない。

「とまるがいいさ」

と猟師《りょうし》はいった。

翌朝《よくあさ》、目《め》をさますと、大男《おおおとこ》はもうおきていて、

「おい、おれといっしょに狩《か》りをしようぜ」

という。猟師《りょうし》はいやとはいえず、うなずいた。
ふたりはその日《ひ》から三日間《みっかかん》、いっしょに森《もり》の中《なか》で鳥《とり》をうった。ふたりでおもしろいほどたくさんの鳥《とり》をうちおとした。夕方《ゆうがた》、小屋《こや》にもどると、ふたりはしとめた鳥《とり》のしまつをはじめた。そのころは、鳥《とり》の目《め》に木《こ》っ端《ぱ》をつきさし、頭《あたま》をつばさの下《した》につっこんでひと晩外《ばんそと》においたものだ。そうすると、夜《よる》のあいだに鳥《とり》はカチカチにこおるから、そのこおった鳥《とり》を家《いえ》にもちかえるというわけだ。

猟師《りょうし》がいつものように鳥《とり》の右目《みぎめ》に木《こ》っ端《ぱ》をつきさそうとすると、となりにいた大男《おおおとこ》が、

「左目《ひだりめ》にさすんだ！」

といった。それを聞《き》いて、猟師《りょうし》はすぐにピンときた。人間《にんげん》と魔物《まもの》ではどんなことでも右《みぎ》と左《ひだり》が逆《ぎゃく》になる。人間《にんげん》が右《みぎ》なら、魔物《まもの》は左《ひだり》だ。だから猟《りょう》師《し》は大男《おおおとこ》のいうことを聞《き》かず、こっそり鳥《とり》の右目《みぎめ》に木《こ》っ端《ぱ》をさした。

それがすむと、ふたりは鳥《とり》の頭《あたま》をつばさの下《した》につっこむ仕事《しごと》にとりかかった。するとまた大男《おおおとこ》が、

「左《ひだり》のつばさの下《した》につっこむんだぞ！」

という。

今度《こんど》も猟師《りょうし》はうなずいたものの、そしらぬふりをして鳥《とり》の頭《あたま》を右《みぎ》のつばさの下《した》につっこんだ。そして考《かんが》えた。

「こうしてたくさんの鳥《とり》をうちおとしたはいいが、この大男《おおおとこ》からにげだす方法《ほうほう》を考《かんが》えねば……。あしたこそ、なんとしても家《いえ》に帰《かえ》るんだ！　そうだ、森《もり》の魔物《まもの》はナナカマドをこわがるという話《はなし》を聞《き》いたことがある」

そんな話《はなし》を思《おも》いだした猟師《りょうし》はナナカマドの枝《えだ》をきってきて、火《ひ》にくべた。しばらくすると、

シュッ、シュッ！　シュシュシュー！

ナナカマドが音《おと》をたてはじめた。

食《く》った、食《く》った、仲間《なかま》がおれを食《く》った！

大男《おおおとこ》はナナカマドのもえる音《おと》をそう聞《き》いて、びっくりぎょうてん、肝《きも》をひやし、いちもくさんに小屋《こや》からにげだした。犬《いぬ》がそのあとをおい、その犬《いぬ》をおって鳥《とり》たちがとびたった。左目《ひだりめ》に木《こ》っ端《ぱ》をさされ、左《ひだり》のつばさの下《した》に頭《あたま》をつっこまれた、あの鳥《とり》たちだ。

「二度《にど》ともどってくるなー!」

猟師《りょうし》は大声《おおごえ》でそうさけび、ほっと胸《むね》をなでおろした。そして自分《じぶん》がしとめた鳥《とり》を一羽《わ》のこらずふくろにつめた。右《みぎ》の目《め》に木《こ》っ端《ぱ》をさし、右《みぎ》のつばさの下《した》に頭《あたま》をつっこんでこおらせた鳥《とり》たちだ。あのとき大《おお》男《おとこ》にいわれたとおり、左目《ひだりめ》に木《こ》っ端《ぱ》をさし、左《ひだり》のつばさの下《した》に頭《あたま》をつっこんでいたら、獲物《えもの》をそっくりもっていかれるところだった。

こうして猟師《りょうし》はどっさり獲物《えもの》が入《はい》ったふくろをかついで、家《いえ》に帰《かえ》ったそうだ。

五千年前《ねんまえ》の幽霊《ゆうれい》

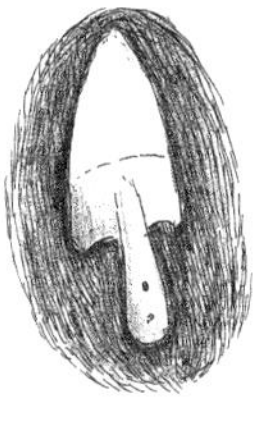

時海結以《ときうみゆい》

ぼくは考古学者《こうこがくしゃ》です。地面《じめん》をほりかえし、何《なん》百年《ねん》、何《なん》千年前《ねんまえ》の遺跡《いせき》を、土《つち》の中《なか》からさがしだしてしらべるのが、仕事《しごと》です。まだぼくが新人《しんじん》だったころ、体験《たいけん》したできごとをお話《はな》ししましょう。

その夏《なつ》、ぼくは、ある山《やま》のふもとで、畑《はたけ》の中《なか》にうずもれた五千年前《ねんまえ》の遺跡《いせき》をしらべていました。縄文時代《じょうもんじだい》の村《むら》の遺跡《いせき》です。

土《つち》をほるために、何《なん》十人《にん》かのアルバイトの人《ひと》に手《て》つだってもらっていました。

遺跡《いせき》のかたすみに、人《ひと》ひとりが入《はい》るといっぱいになるくらいの穴《あな》が見《み》つかりました。かたい地面《じめん》をほった穴《あな》に、やわらかい土《つち》がうまっているのです。

「すみません、どなたか、手《て》があいている方《かた》、この穴《あな》の土《つち》をほってみてください」

「はぁい、わたしがやります」

きてくれたのは、わかい主婦《しゅふ》でした。かり

に名前《なまえ》をA《エー》さんとしましょう。A《エー》さんに、穴《あな》の中《なか》にたまった土《つち》をほってもらいました。

「土器《どき》が出《で》てきましたけど」

「あ、それは大事《だいじ》ですね。じゃあ、こわさないように、ぼくがそっとほります」

ぼくはA《エー》さんとこうたいし、花《はな》をうえる小《ちい》さなシャベルをもって、自《じ》分《ぶん》で土器《どき》の中《なか》の土《つち》をほりました。すると、白《しろ》い小《ちい》さなかけらが、ぱらぱらと土《つち》にまじっています。

「やった！　大発見《だいはっけん》！」

ぼくが声《こえ》をあげると、「なんですか、その白《しろ》いもの」と、そばでのぞきこんでいたA《エー》さんがたずねました。

ぼくは、用意《ようい》していた小《ちい》さなケースに、わりばしでその白《しろ》いかけらをつまんで入《い》れながら、こうふんしてこたえました。

「骨《ほね》ですよ、骨《ほね》！」

「骨《ほね》って？　この穴《あな》、なんの穴《あな》ですか？」

「五千年前《ねんまえ》のお墓《はか》です。たぶん人《ひと》の骨《ほね》ですよ、これ！」

はしゃいでいるぼくの目《め》の前《まえ》で、A《エー》さんの顔《かお》がすうーっと青《あお》ざめていきました。

「……お墓《はか》……ほってしまった……お墓《はか》っていってくれれば、ほらなかったのに……」

　A《エー》さんはつぶやきながら、立《た》ちさりました。ぼくは発見《はっけん》にむちゅうで、A《エー》さんを気《き》にかけませんでした。

　ところが、つぎの日《ひ》。仕事《しごと》にやってきたA《エー》さんのようすがおかしい、とぼくはほかのアルバイトの人《ひと》からしらされました。

「真夏《まなつ》の日《ひ》ざしがあつすぎて、どうにかなっちまったのかねえ」と。

　ぼくがA《エー》さんをさがすと、A《エー》さんは遺跡《いせき》の真《ま》ん中《なか》で、目《め》の前《まえ》を指《ゆび》さし、おびえたようにすわりこんでいます。

「A《エー》さん、どうかしたんですか？」

「ゆ……幽霊《ゆうれい》……幽霊《ゆうれい》がいる！」

「幽霊《ゆうれい》？」

もちろん、そこにはなにもいません。

「なにもいませんよ」

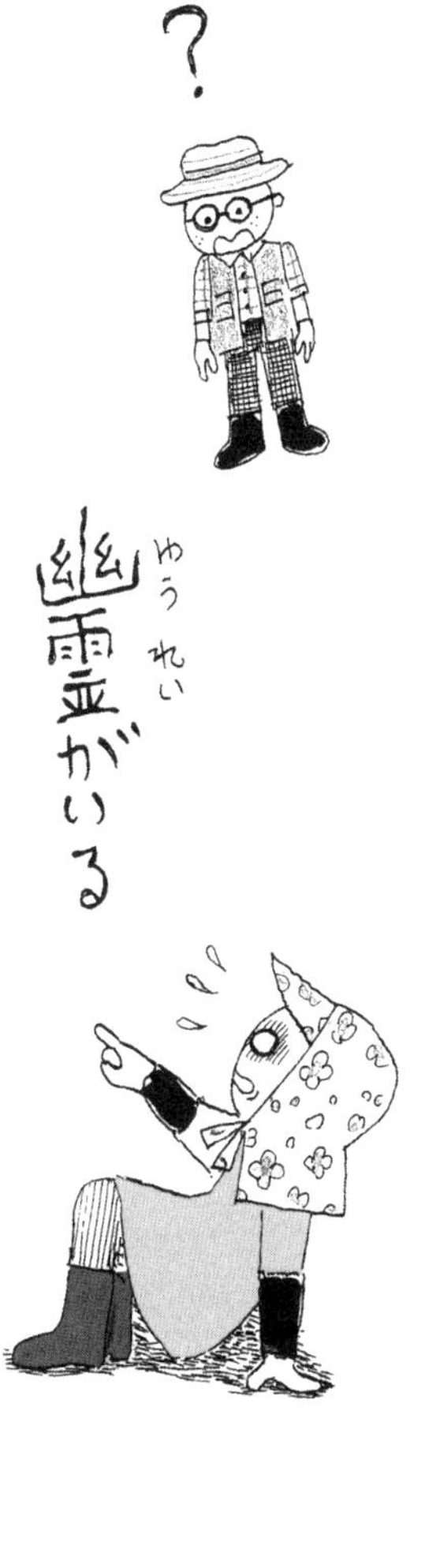

「いるのよ！　いるの！」

さけぶA《エー》さんをおちつかせようと、ぼくは笑顔《えがお》を作《つく》って話《はな》しかけました。

「わかりました。どんな幽霊《ゆうれい》です？」

「ぼろぼろの布《ぬの》を体《からだ》にまいて、髪《かみ》の毛《け》は長《なが》くてぼさぼさで、顔《かお》を半分《はんぶん》かくしてて、はだしで、口《くち》から血《ち》をながした女《おんな》の人《ひと》……立《た》って、じいっとこっちを見《み》てる」

「ぼろぼろの布《ぬの》？」

「古《ふる》い着物《きもの》みたいな……」

着物《きもの》、と聞《き》いて、ぼくはその幽霊《ゆうれい》がこのお墓《はか》と骨《ほね》の主《ぬし》ではない、と思《おも》いました。縄文時代《じょうもんじだい》の人《ひと》は、着物《きもの》、つまり和服《わふく》はまだ着《き》ていません。幽霊《ゆうれい》なんてA《エー》さんの思《おも》いこみです。

「ねえ、A《エー》さん、縄文時代《じょうもんじだい》の幽霊《ゆうれい》がいるのなら、ぼく、聞《き》いてみたいことがすごくいっぱいあるので、紹介《しょうかい》してくださいよ」

じょうだんをいっても、A《エー》さんはおびえるばかりで、とうとう泣《な》きながらにげだし、家《いえ》に帰《かえ》ってしまいました。

さらにつぎの日《ひ》、A《エー》さんはやってきたのですが、ほかのアルバイトの人《ひと》たちに、

「あそこに幽霊《ゆうれい》がいるの！」

とさけびつづけています。ほかの人《ひと》たちは、相手《あいて》にしないだろうと思《おも》ったら……。

「ほんとうだ、なにか……人《ひと》かげみたいなのが見《み》える！」

「何人《なんにん》もいる！」

「血《ち》をながしてる！」

どんどん、A《エー》さんとおなじように「幽霊《ゆうれい》が見《み》えてきた」とおびえだす人《ひと》がふえます。みんなにげだしてしまい、とうとうぼくはとりのこされて、仕事《しごと》ができなくなったのでした。

……いまになってみれば、幽霊《ゆうれい》はほんとうにいたのかもしれません。

A《エー》さんは着物《きもの》といったけれど、それは「なにかを着《き》ている、はだかでははない」という意味《いみ》で、和服《わふく》を着《き》ていたという意味《いみ》ではなかったのかも。

お墓《はか》をうやまい、幽霊《ゆうれい》をしんじる人《ひと》の前《まえ》にだけ、幽霊《ゆうれい》は姿《すがた》をあらわしてくれるのではないか、とあれからぼくは、考《かんが》えているのです。

ずっとしんじていなかったぼくの前《まえ》にはもう、あらわれてくれなくてざんねんなのですが。

帰《かえ》りのHR《ホームルーム》

今日《きょう》の日直当番《にっちょくとうばん》の、ぬらりひょんぬらりんが、教《きょう》だんに立《た》つと話《はな》しはじめました。

「では、帰《かえ》りのHR《ホームルーム》をはじめます。今日《きょう》、ぼくたちは将来《しょうらい》やりたい仕事《しごと》のことを考《かんが》える日《ひ》でした。休《やす》み時間《じかん》に、もう職場見学《しょくばけんがく》をした子《こ》もいるみたいです。はじまりのHR《ホームルーム》で、神社姫《じんじゃひめ》とポン太《た》が将来《しょうらい》の夢《ゆめ》について話《はな》しましたが、そのほかの子《こ》も時間《じかん》のあるかぎり、発表《はっぴょう》してください」

「はい、ぼくは、足《あし》の速《はや》さをいかして、妖怪《ようかい》オリンピックの陸上選手《りくじょうせんしゅ》として出場《しゅつじょう》するのが夢《ゆめ》です」

と、人面犬助《じんめんけんすけ》が胸《むね》をはっていいました。

「いいぞう！」

「金《きん》メダリストになれよ！」

教室中《きょうしつじゅう》から拍手《はくしゅ》がわきおこりました。

ちょっと照《て》れながら、人面犬助《じんめんけんすけ》はとなりのトイレの花子《はなこ》に、「お前《まえ》は？」と聞《き》きました。

「あたしは、トイレそうじにきまってん

じゃん。いまはムラサキババアにまかせているけど、あたしがやったらもっとピカピカにして、そうじすればするほど、あたしももっときれいになるのよ！」

「はい、ぼくも長《なが》くのびる首《くび》をつかって、ビルの窓《まど》ふきそうじも考《かんが》えたんですが、いま一番《いちばん》なりたいのは、カメラマンです。ドローンなんてなくても、空中《くうちゅう》から写真《しゃしん》がとれます」

と、ろくろくびのび太《た》が首《くび》をのばしたのですが、

「おまえ、のびるのは首《くび》だけで、手《て》はのびない

から、高《たか》いところから写真《しゃしん》はとれないんじゃないの？」

といわれ、がっくり肩《かた》をおとしました。

「では、まじょ子《こ》は、どうですか？」

と、ぬらりんが聞《き》きました。

「あたしは、小《ちい》さいときから魔女《まじょ》になるのがあたりまえで、ほかに考《かんが》えたこともないのだけれど、オウマガドキ学園《がくえん》を卒業《そつぎょう》したらドイツの魔《ま》女学校《じょがっこう》に行《い》って、本格的《ほんかくてき》に魔法《まほう》を勉強《べんきょう》するつもりなの」

「すごい！」

「もう、きまってるんだ！」

「世界中《せかいじゅう》の魔女《まじょ》があつまってくるんだろうね」

「そうだと思《おも》うわ。ホネオくんはどうなの？」

と、まじょ子《こ》が聞《き》きました。

「いやあ、ぼくはあんまり考《かんが》えてなくって。人間《にんげん》の学校《がっこう》の理科室《りかしつ》で、人《にん》間《げん》の子《こ》たちに体《からだ》のしくみを見《み》てもらうくらいしか思《おも》いつかないんだ」

とガイコツのホネオがいうと、幽麗華《ゆうれいか》がほっとしたようにいいました。

「わたしもまだ考《かんが》えてないのよ。人間《にんげん》たちをおどろかすのはおもしろいけど、それは仕事《しごと》じゃないし、もっとみんなの役《やく》に立《た》つ仕事《しごと》がしたいけ

オニのように
きびしい
わたしの
おばあちゃんが
校長《こうちょう》なのよね〜…

体《からだ》のしくみを見《み》てもらう
……
人間《にんげん》をおどろかす
○×家之
きゅうり畑《ばたけ》でも作《つく》ろうかな……
アズキあらえれば幸《しあわ》せ
ショキ
ショキ

ど、まだ見《み》つからないの」

「ぬらりん、お前《まえ》は、どうなのさ」

「えっ、まだまだ勉強《べんきょう》したいから、とりあえず妖怪大学《ようかいだいがく》に行《い》くつもりだけど、その先《さき》のことは、おれも、まだきめてないんだ」

と、ぬらりんがいつもとちがって自信《じしん》なさそうにこたえました。

「今日《きょう》はそろそろ時間《じかん》ニャ。将来《しょうらい》のことは、またゆっくり考《かんが》えましょう。夢《ゆめ》や希望《きぼう》もかわることもあるし……」

いつのまにか教室《きょうしつ》にきていた猫又《ねこまた》タマ子《こ》先生《せんせい》がそういって、HR《ホームルーム》は終《お》わりました。

しんぶん
家庭訪問
ス……
いつのまに……??

解説《かいせつ》

米屋陽一《よねやよういち》

みなさん、こんばんは。今夜《こんや》の「オウマガドキ学園《がくえん》」の授業《じゅぎょう》はいかがでしたか。小学生《しょうがくせい》にアンケートをとって「将来《しょうらい》なりたい職業《しょくぎょう》」を聞《き》いたところ、男子児童《だんしじどう》はサッカーや野球《やきゅう》などのスポーツ選手《せんしゅ》、女子児童《じょしじどう》は保育士《ほいくし》や看護師《かんごし》などが人気《にんき》でした。みなさんはどのような夢《ゆめ》をえがいているでしょうか。

今日《きょう》の**「はじまりのHR《ホームルーム》」**の担当《たんとう》は、猫又《ねこまた》タマ子《こ》先生《せんせい》です。大人《おとな》になればほとんどの人《ひと》が職業《しょくぎょう》につきます。それは人間《にんげん》の世界《せかい》でも妖怪《ようかい》の世界《せかい》でもおなじです。オウマガドキ学園《がくえん》では、今日《きょう》は「職業《しょくぎょう》」がテーマの学習《がくしゅう》の日《ひ》です。

1時間目《じかんめ》の**「夕方《ゆうがた》の待合室《まちあいしつ》」**は、清水《しみず》さんの体《からだ》から魂《たましい》がぬけだして診療所《しんりょうじょ》にきていたという話《はなし》です。このようなふしぎな体験談《たいけんだん》は、看護師《かんごし》のあいだではときどき話《はな》されるそうです。おなじような話《はなし》として、人《ひと》の鼻《はな》から蜂《はち》の姿《すがた》になって霊魂《れいこん》がぬけだす昔話《むかしばなし》「夢《ゆめ》と蜂《はち》」などが語《かた》りつがれています。**「祈《いの》りのロザリオ」**も看護師《かんごし》と老婦人《ろうふじん》との心《こころ》のかよいあう話《はなし》です。病室《びょうしつ》のかべから銀色《ぎんいろ》の光《ひかり》がこぼれでていて、中《なか》には古《ふる》いロザリオがかざってありました。老婦人《ろうふじん》の死《し》をしった看護師《かんごし》は、そのロザリオを支《ささ》えに看《かん》護師《ごし》をつづけています。

休《やす》み時間《じかん》の**「妖怪《ようかい》たちの職場見学《しょくばけんがく》」**では、「薬局《やっきょく》」や「警察署《けいさつしょ》」など、いろいろな職場《しょくば》が紹介《しょうかい》されています。将来《しょうらい》の夢《ゆめ》にむかって歩《あゆ》みはじめたみなさん、参考《さんこう》にしてくださいね。

2時間目《じかんめ》の**「思《おも》いだせない名前《なまえ》」**は、中学《ちゅうがく》の先生《せんせい》が体験《たいけん》した話《はなし》です。クラスにいたはずの子《こ》が「記憶《きおく》も痕跡《こんせき》もけして、去《さ》っていった」というのです。そして、毎朝《まいあさ》よんでいたはずの、その子《こ》の名前《なまえ》がどうしても思《おも》いだせないのです。宮沢賢治《みやざわけんじ》の「風《かぜ》の又《また》三郎《さぶろう》」みたいですね。**「ホンモノだった」**は中国《ちゅうごく》の話《はなし》です。きびしい先生《せんせい》を幽霊《ゆうれい》になっておどろかそうと学生《がくせい》たちは相談《そうだん》し、頭《あたま》に黒《くろ》い頭巾《ずきん》をまきつけていた張鬼子《チャングイズ》がえらばれました。黒頭巾《くろずきん》をはずすと二本《ほん》の角《つの》。張鬼子《チャングイズ》はホンモノの鬼《おに》だったのです。

3時間目《じかんめ》の**「仕立屋《したてや》の客《きゃく》」**は、イギリスの話《はなし》です。仕立屋《したてや》のトムのもとに悪魔《あくま》が上《うわ》着《ぎ》を注文《ちゅうもん》しました。上着《うわぎ》はできあがりましたが文句《もんく》ばかり。トムはすべていいかえすと、悪魔《あくま》はそれ以上《いじょう》なにもいえずに姿《すがた》をけしました。**「パン屋《や》とミミズク」**は、オーストリアの話《はなし》です。「フクロウのなきまねをしてはいけない」という日本《にほん》の伝承《でんしょう》ににています。ミミズクは悪魔《あくま》でした。「ワインとパンは神様《かみさま》のおくりもの」といわれています。パンをならべる板《いた》についていたパン生地《きじ》によって、悪魔《あくま》をおいはらったのでした。

4時間目《じかんめ》の**「幽霊《ゆうれい》のさがしもの」**は、タクシー運転手《うんてんしゅ》の話《はなし》です。事故《じこ》で死《し》んだ女《おんな》の幽霊《ゆうれい》のさがしものは、うしなった目玉《めだま》でした。見《み》つけた目玉《めだま》をお墓《はか》に入《い》れてやると、それからは女《おんな》の幽霊《ゆうれい》は出《で》ませんでした。タクシー運転手《うんてんしゅ》は、ふしぎな話《はなし》の語《かた》り手《て》としてよく登場《とうじょう》します。**「たぬきの汽車《きしゃ》ごっこ」**は、文明開化《ぶんめいかいか》（明治時代初期《めいじじだいしょき》）の中《なか》で生《う》まれた話《はなし》です。明治《めいじ》五（一八七二）年《ねん》、東京《とうきょう》・新橋《しんばし》から汽車《きしゃ》が走《はし》り、最初《さいしょ》の犠牲者《ぎせいしゃ》（たぬき）は、品川《しながわ》の八《や》ツ山《やま》にすむたぬきだとつたえられています。横浜《よこはま》の鶴見《つるみ》のたぬきは何番目《なんばんめ》の犠牲者《ぎせいしゃ》だったのでしょうか。この話《はなし》は「都市伝説《としでんせつ》」のはしりだともいわれています。

給食《きゅうしょく》の時間《じかん》は**「最期《さいご》のラーメン」**です。亡《な》くなったラーメン好《ず》きの玉山《たまやま》さんの気配《けはい》が入店《にゅうてん》し、店主《てんしゅ》は最期《さいご》のラーメンを作《つく》りごちそうしたのでした。

5時間目《じかんめ》の**「腕《うで》をかえして」**は、きけんをおかして救助《きゅうじょ》にあたる消防団員《しょうぼうだんいん》が体験《たいけん》したふしぎな話《はなし》です。自殺《じさつ》した女性《じょせい》が死体《したい》の収容《しゅうよう》をした団員《だんいん》の家《いえ》をたずねてきて、うしなった「腕《うで》をかえして」といいました。4時間目《じかんめ》の「幽霊《ゆうれい》のさがしもの」と共通《きょうつう》している話《はなし》です。**「おじいちゃんの診療所《しんりょうじょ》」**は、祈祷師《きとうし》の先祖《せんぞ》をもつ山村《さんそん》の医者《いしゃ》の話《はなし》です。医師《いし》が患者《かんじゃ》の体《からだ》に「手《て》を当《あ》てる」ことは、現代医学《げんだいいがく》にも「手当《てあ》て」という言葉《ことば》として、うけつがれています。

6時間目《じかんめ》の**「森《もり》の猟師《りょうし》小屋《ごや》で」**は、ロシアとフィンランドのあいだにあるカレリアの話《はなし》です。「人間《にんげん》と魔物《まもの》ではどんなことでも右《みぎ》と左《ひだり》が逆《ぎゃく》になる」という伝承《でんしょう》を身《み》につけていた猟師《りょうし》は、難《なん》からのがれ獲物《えもの》をえました。このようなきけんをまぬがれる伝承《でんしょう》は、世界各地《せかいかくち》にあります。**「五千年前《ねんまえ》の幽霊《ゆうれい》」**は、考古学者《こうこがくしゃ》の話《はなし》です。縄文時代《じょうもんじだい》の人《じん》骨《こつ》が発掘《はっくつ》され、幽霊《ゆうれい》を見《み》てしまった人《ひと》がいました。お墓《はか》をうやまい、しんじる人《ひと》の前《まえ》にだけ、幽霊《ゆうれい》は姿《すがた》をあらわしてくれるのかもしれませんね。

「帰《かえ》りのHR《ホームルーム》」は、将来《しょうらい》やりたい仕事《しごと》のことを考《かんが》える一日《いちにち》のしめくくりの話《はな》し合《あ》いでした。オウマガドキ学園《がくえん》のみなさんの夢《ゆめ》が実現《じつげん》するといいですね。

あしたも元気《げんき》に登校《とうこう》しましょう。

怪談オウマガドキ学園編集委員会

常光　徹（責任編集）　岩倉千春
大島清昭　高津美保子　米屋陽一

協力

日本民話の会

怪談オウマガドキ学園
23 妖怪たちの職場見学

2017年6月12日　第1刷発行

怪談オウマガドキ学園編集委員会・責任編集 ■ 常光 徹
絵・デザイン ■ 村田桃香（京田クリエーション）
絵 ■ かとうくみこ　山﨑克己
写真 ■ 岡倉禎志

発行所　株式会社童心社
〒112-0011 東京都文京区千石4-6-6
03-5976-4181（代表）　03-5976-4402（編集）
印刷　株式会社光陽メディア
製本　株式会社難波製本

Published by DOSHINSHA　Printed in Japan
ISBN978-4-494-01731-7　NDC913　158p　17.9×12.9cm
http://www.doshinsha.co.jp/

もう読《よ》んだ？ 怪談《かいだん》オウマガドキ学園《がくえん》シリーズ

❶ **真夜中《まよなか》の入学式《にゅうがくしき》**
「学校《がっこう》・夜《よる》・時間《じかん》」の怪談《かいだん》

❷ **放課後《ほうかご》の謎《なぞ》メール**
「ケータイ・メール・ゲーム」の怪談《かいだん》

❸ **テストの前《まえ》には占《うらな》いを**
「霊感《れいかん》・占《うらな》い・予知《よち》」の怪談《かいだん》

❹ **遠足《えんそく》は幽霊《ゆうれい》バスで**
「乗《の》り物《もの》・旅行《りょこう》」の怪談《かいだん》

❺ **冬休《ふゆやす》みのきもだめし**
「冬《ふゆ》」の怪談《かいだん》

❻ **幽霊《ゆうれい》の転校生《てんこうせい》**
「幽霊《ゆうれい》」の怪談《かいだん》

❼ **うしみつ時《どき》の音楽室《おんがくしつ》**
「音《おと》・におい」の怪談《かいだん》

❽ **夏休《なつやす》みは百物語《ひゃくものがたり》**
「夏《なつ》」の怪談《かいだん》

❾ **猫《ねこ》と狐《きつね》の化《ば》け方教室《かたきょうしつ》**
「動物《どうぶつ》」の怪談《かいだん》

❿ **4時《じ》44分《ぶん》44秒《びょう》の宿題《しゅくだい》**
「数《かず》・算数《さんすう》」の怪談《かいだん》

⓫ **休《やす》み時間《じかん》のひみつゲーム**
「遊《あそ》び」の怪談《かいだん》

⓬ **ぶきみな植物観察《しょくぶつかんさつ》**
「植物《しょくぶつ》」の怪談《かいだん》

⓭ **妖怪博士《ようかいはかせ》の特別授業《とくべつじゅぎょう》**
「妖怪《ようかい》・妖精《ようせい》」の怪談《かいだん》

⓮ **あやしい月夜《つきよ》の通学路《つうがくろ》**
「天気《てんき》・天体《てんたい》」の怪談《かいだん》

⓯ **ぞくぞくドッキリ学園祭《がくえんさい》**
「体《からだ》」の怪談《かいだん》

⓰ **保健室《ほけんしつ》で見《み》たこわい夢《ゆめ》**
「夢《ゆめ》・ねむり」の怪談《かいだん》

⓱ **旧校舎《きゅうこうしゃ》のあかずの部屋《へや》**
「建物《たてもの》」の怪談《かいだん》

⓲ **真夏《まなつ》の夜《よ》の水泳大会《すいえいたいかい》**
「水《みず》」の怪談《かいだん》

⓳ **図工室《ずこうしつ》のふしぎな絵《え》**
「色《いろ》」の怪談《かいだん》

⓴ **妖怪《ようかい》たちの林間学校《りんかんがっこう》**
「山《やま》」の怪談《かいだん》

㉑ **春《はる》は恐怖《きょうふ》の家庭訪問《かていほうもん》**
「春《はる》」の怪談《かいだい》

㉒ **パソコン室《しつ》のサイバー魔人《まじん》**
「スマホ・電話《でんわ》・パソコン」の怪談《かいだん》

㉓ **妖怪《ようかい》たちの職場見学《しょくばけんがく》**
「職業《しょくぎょう》・仕事《しごと》」の怪談《かいだん》

オウマガドキ学《がく》園《えん》 4コマ劇《げき》場《じょう》

職《しょく》場《ば》体《たい》験《けん》：魚《うお》市《いち》場《ば》